JAHRESGABE DER HEINRICH-VON-KLEIST-GESELLSCHAFT

1977

Die Gegenwärtigkeit Kleists

Reden zum Gedenkjahr 1977
im Schloß Charlottenburg
zu Berlin

von

Helmut Arntzen — Pierre Bertaux
Bernhard Böschenstein — Walter Müller-Seidel

ERICH SCHMIDT VERLAG

CIP-Kurztitelaufnahme der Deutschen Bibliothek

Die Gegenwärtigkeit Kleists : Reden zum Gedenk-
jahr 1977 im Schloss Charlottenburg zu Berlin /
von Helmut Arntzen ... [Im Auftr. d. Heinrich-
von-Kleist-Ges.] . — Berlin : E. Schmidt, 1980.

  (Jahresgabe der Heinrich-von-Kleist-Gesellschaft ; 1977)
  ISBN 3-503-01638-4

NE: Arntzen, Helmut [Mitarb.] ; Heinrich-von-
Kleist-Gesellschaft

Im Auftrage der Heinrich-von-Kleist-Gesellschaft

herausgegeben von Wieland Schmidt

ISBN 3 503 01638 4

ISSN 0342-0132

© Erich Schmidt Verlag, Berlin 1980
Druck: Berliner Buchdruckerei Union GmbH, Berlin 61
Printed in Germany · Nachdruck verboten

INHALT

VORWORT

Der 200. Geburtstag Heinrich von Kleists am 18. Oktober 1977 war für die Heinrich-von-Kleist-Gesellschaft ein zeitgegebener Anlaß für den Versuch, in einer Reihe öffentlicher Veranstaltungen einem anteilnehmenden Publikum die Gegenwärtigkeit Kleists näherzubringen. Manche Generationen sind, namentlich im 19. Jahrhundert, an Kleist vorbeigegangen, ohne von ihm sonderlich berührt zu werden. Sie wählten das für sich aus, was ihnen gemäß war, und übergingen anderes, zu dem ihnen der Zugang verschlossen blieb. Denn in jeder Epoche sind selbst bevorzugte Geister an die Denkmöglichkeiten ihrer Zeit gebunden, und nur die wenigsten unter ihnen vermögen, vorahnend, über solche Grenzen hinweg vorauszudenken. Kleist war seinen Zeitgenossen fast ausnahmslos unverständlich geblieben, und es bedurfte eines langen Zeitraumes, bis sich die Intentionen des Dichters den eindringenden Bemühungen jüngerer Generationen erschlossen, deren Denkvermögen das vorauseilende von Kleist nachzuvollziehen vermochte. Erst sie konnten sich diesem ,rätselvollen' Dichter, der sich jeder Einordnung bis heute beharrlich entzogen hat, vorsichtig nähern, und erst sie haben sich diesem Dichter gestellt. Die in diesem Bande vereinigten Vorgänge wollen als Hinweise darauf verstanden sein, auf welchen Wegen eine solche gestaltende Stellungnahme heute möglich ist.

Von Feierlichkeiten, wie sie zu Gedenktagen vielfach herkömmlich und üblich sind, war bei dem 200. Geburtstag Kleists mit Bedacht abgesehen worden. Sie sind mit dem Wesen dieses Dichters nicht in Übereinstimmung zu bringen. Aber Berlin, das auf dem Schicksalswege Kleists eine so entscheidende Rolle gespielt hat, war bemüht, die 200. Wiederkehr dieses Tages der Öffentlichkeit bewußt zu machen. Die Akademie der Künste zeigte Filme, die sich auf das Werk und auf den Lebensweg des Dichters bezogen. Die Amerika-Gedenkbibliothek, die ein großes Kleist-Archiv besitzt, stellte größere Teile davon in ihrer Eingangshalle aus. Das Heinrich-von-Kleist-Gymnasium wußte das praktische Bemühen seiner Schüler um das Werk des Dichters in Handlung umzusetzen. Die Staatsbibliothek Preußischer Kulturbesitz hatte in Verbindung mit der Heinrich-von-Kleist-Gesellschaft seit langem eine große Ausstellung von Gegenständen aus der Lebenszeit des Dichters und von Dokumenten aus seiner Wirkungsgeschichte vorbereitet. Die Ausstellung wurde in der Orangerie des Schlosses Charlottenburg vom 11. November 1977 bis zum 8. Januar 1978 gezeigt. Ein Katalog über die 366 dargebotenen Stücke, der erste umfassende seiner Art, behält über die Dauer der Ausstellung hinaus dokumentarischen

Wert (vgl. den zusammenfassenden Bericht von Eberhard Siebert in: Jahrbuch Preußischer Kulturbesitz 1977 — Band 14, 1979, S. 89—99). In der unmittelbar an die Orangerie anstoßenden Schloßkapelle, die unter König Friedrich I. von Eosander von Göthe in den Jahren 1704 bis 1706 erbaut worden war, fanden die Vorträge statt, die die Staatsbibliothek Preußischer Kulturbesitz und die Heinrich-von-Kleist-Gesellschaft veranstalteten. Die Besucher hatten die Möglichkeit, vor und nach diesen Vorträgen die Ausstellung zu besichtigen.

Am Eröffnungsabend der Ausstellung, am 10. November 1977, sprach Walter Müller-Seidel (München). Die drei weiteren Vorträge schlossen sich im November und Dezember 1977 an. Es sprachen am 21. November Pierre Bertaux (Paris), am 1. Dezember Bernhard Böschenstein (Genf), am 5. Dezember Helmut Arntzen (Münster). Die Heinrich-von-Kleist-Gesellschaft dankt allen Genannten aufs herzlichste für das Einverständnis, die Vorträge als Jahresgabe 1977 erscheinen zu lassen. Die Vorträge sind hier in der Reihenfolge abgedruckt, in der sie gehalten wurden.

Die Berliner Veranstaltungen der Staatsbibliothek Preußischer Kulturbesitz und der Heinrich-von-Kleist-Gesellschaft, Ausstellung und Vorträge, wären nicht möglich gewesen, wenn nicht die Deutsche Klassenlotterie Berlin und die Stiftung Preußischer Kulturbesitz in großzügiger Weise finanzielle Hilfe gewährt hätten. Beiden Institutionen sei auch an dieser Stelle aufrichtiger Dank gesagt.

Wieland Schmidt
für den Vorstand
der Heinrich-von-Kleist-Gesellschaft

DER RÄTSELHAFTE KLEIST UND SEINE DICHTUNG[1]

von Walter Müller-Seidel

Von dem Dichter, dessen Leben vor zweihundert Jahren begann, kann man nicht sprechen, ohne zugleich von seinem Ende zu sprechen. Es sei das allerqualvollste Leben gewesen, das je ein Mensch geführt habe. So steht es in einem der letzten Briefe, die Kleist geschrieben hat. Das Ausmaß der Verzweiflung, die sich andeutet, macht betroffen. An Marie von Kleist, den 10. November 1811: „Aber ich schwöre Dir, es ist mir ganz unmöglich länger zu leben; meine Seele ist so wund, daß mir, ich möchte fast sagen, wenn ich die Nase aus dem Fenster stecke, das Tageslicht wehe tut, das mir darauf schimmert" (II/883). Zugleich handeln dieselben Briefe von Freude und „unaussprechlicher Heiterkeit". Sie sprechen vom herrlichsten und wollüstigsten aller Tode.[2] Eine solche Ambivalenz von Liebesdrang und Todestrieb würde vermutlich einem modernen Seelenforscher wie Sigmund Freud nichts Unerklärliches bedeuten. Er

---

[1] Der Vortrag wurde am 10. November 1977 zur Eröffnung der Ausstellung im Charlottenburger Schloß gehalten und später an anderen Orten (in Bonn, Kopenhagen, Straßburg und Metz) wiederholt. An der Vortragsform wurde mit geringfügigen Veränderungen festgehalten. Die Anmerkungen beschränken sich deshalb auf die notwendigsten Hinweise. Das Thema wurde von der Ausstellung mitbestimmt: von der im vorausgegangenen Briefwechsel mit Eberhard Siebert erörterten Frage, wie die zahlreichen Rätsel und „dunklen Stellen" im Lebensgang aufzuhellen und zu erklären seien. Es versteht sich, daß dieser Frage in einem nicht nur biographischen Sinn nachzugehen war, wenn man den Dichter nicht verfehlen wollte. Aber auszusparen waren die Rätsel des Lebens um so weniger, als das literarische Werk davon nicht zu trennen ist. — Die in Klammern gesetzten Zahlen im Textteil beziehen sich auf die von Helmut Sembdner herausgegebene Ausgabe: *Sämtliche Werke und Briefe*. München, 3. Aufl. 1964.

[2] Daß sich solche Todesverbundenheit nicht zum erstenmal äußert, wäre mühelos zu belegen. Auf die fixe Idee, sich am Feldzug Napoleons gegen England zu beteiligen, ist hinzuweisen. Kleist äußert sich hierüber im Brief an die Schwester vom 26. Oktober 1803: „Ich k a n n mich Deiner Freundschaft nicht würdig zeigen, ich kann diese Freundschaft doch nicht *leben*: ich stürze mich in den Tod. Sei ruhig, Du Erhabene, ich werde den schönen Tod der Schlachten sterben" (II/737). — Todesverbundenheit ist ein Ausdruck Thomas Manns. Er spricht gelegentlich von der „düster[n] Würde eines Konservatismus, der Todesverbundenheit bedeutet" (Gesammelte Werke. München 1960, Bd. XII, S. 628). Aber was ihn berechtigt, ein so unterschiedlich motiviertes Phänomen wie Todesverbundenheit mit einem politischen Begriff wie demjenigen des Konservatismus zu benennen, muß offen bleiben. Auf Kleist übertragen, besagt er so gut wie nichts.

würde uns aufklären über das, was da vorliegen kann. Aber die Rätsel der Person, die uns das Ende aufgibt, wären damit sicher nicht erklärt; und wie der Tod, so ist das Leben dieses Menschen vom Tage der Geburt an von Geheimnissen und Rätseln umstellt. *Heinrich von Kleists Lebensspuren* heißt eine Sammlung zeitgenössischer Dokumente und Berichte. Aber es sind vielfach verwischte Spuren, die sich im Dunkel verlieren. Der rätselhafte Kleist: das ist schon fast der uns vertraute Kleist; und so, wie er uns heute erscheint, muß er auch selbst sich erfahren haben: als einen unaussprechlichen Menschen nämlich, wie er sich gelegentlich nennt. Er gilt mit Recht als einer der rätselhaftesten Dichter unserer Literatur.

Doch fordern Rätsel jeder Art noch immer dazu heraus, daß man sie „löst"; daß man eindringt in das, was sie uns verbergen. Auch die Wissenschaften haben es auf ihre Weise mit ihnen zu tun. Es ist ihr gutes Recht, für Aufklärung zu sorgen; für Erforschung dessen, was noch unerforscht ist, damit sich die Lücken unseres Wissens schließen. Die Humanwissenschaften sind von solchen Aufgaben nicht dispensiert. Wir wollen als Historiker genau wissen, wie es eigentlich war. Nur wird es dabei nicht um die Genauigkeit der Mathematik gehen können, wie sich versteht — „als ob alles nur dann existierte, wenn es sich mathematisch beweisen läßt", hat Goethe gelegentlich bemerkt.[3] Es wird uns um beides gehen: um Aufklärung, wo immer sie zu leisten ist; aber zugleich um das, was sich eindeutiger Beweise entzieht und dennoch unser Verstehen beansprucht. Denn natürlich ist in den Wissenschaften, die es mit dem Menschen zu tun haben, das Beweisbare nicht schon das Ziel ihres Tuns. Wir wollen nicht nur wissen, wie es eigentlich war. Wir wollen auch wissen, welcher Sinn dem Gewesenen zukommen kann, und die Frage nach dem Sinn in einer Welt, die ihn zunehmend verbirgt, war auch die Frage, die den ehemaligen preußischen Junker Heinrich von Kleist zeit seines Lebens bewegt und auf eine so unvorhersehbare Weise zum Dichter gemacht hat.

Unvorhersehbar deshalb, weil nicht der Beruf des Dichters dem jungen Kleist vor Augen stand, als er eines Tages unerschrocken mit den Traditionen seiner Familie brach und den Militärdienst quittierte. Wissenschaft als Beruf, wie es später Max Weber formulierte, war fraglos das Ziel seiner Wünsche. Er wendet sich bezeichnenderweise den exakten Naturwissenschaften zu und wählt zu seinem Hauptfach die Mathematik, die durch Kants Philosophie beträchtlich an Ansehen gewonnen hatte. Der Lebensplan, der entworfen wird, zeugt von Klarheit und zielgerichtetem Denken. Die Anwendbarkeit der Naturwissenschaften interessiert ihn nicht gleichermaßen wie das, was sie zur Bildung des Menschen beitragen. Daher hat er die Absicht, ihr Studium durch ein solches

---

[3] Gespräche mit Eckermann vom 20. XII. 1826 (Artemis-Gedenkausgabe. Zürich 1949. Bd. XXIV, S. 190).

der „höheren Theologie" zu ergänzen (II/483). Aber die Enttäuschung läßt nicht lange auf sich warten. Die Vorbehalte gelten einem sich ausbreitenden Spezialistentum — jenen Brotgelehrten, von denen Schiller gesagt hatte, sie seien bestrebt, ihre Wissenschaften von allen übrigen abzusondern. Diesen Fachidioten, wie man sie bei uns vor einigen Jahren etwas forsch, aber nicht unzutreffend nannte, ist Kleist als angehender Naturwissenschaftler nicht sonderlich gewogen. Man lese es in dem zu Anfang des Jahres 1801 geschriebenen Briefe nach: „*Huth* ist hier und hat mich in die gelehrte Welt eingeführt, worin ich mich aber so wenig wohl befinde, als in der ungelehrten. Diese Menschen sitzen sämtlich wie die Raupe auf einem Blatte, jeder glaubt seines sei das beste, und um den Baum bekümmern sie sich nicht" (II/628). Von den Wissenschaften ist der junge Kleist in dem Maße enttäuscht, in dem er von den Menschen enttäuscht ist, die sie betreiben. Erst recht enttäuscht ist er davon, daß er in ihnen nicht findet, wonach ihm verlangt. Paris, im Juli 1801: „Ach, diese Menschen sprechen von Säuren und Alkalien, indessen mir ein allgewaltiges Bedürfnis die Lippe trocknet" (II/678). In der Wissenschaftskritik der frühen Zeit fallen bestimmte Wörter auf, die wiederholt verwendet werden. Hier ist die Rede von dem, was ihm die Lippe trocknet. In anderem Zusammenhang spricht Kleist enttäuscht von trocknen einseitigen Menschen, von trockner Pflicht oder von der trocknen Sprache der Philosophie.[4] Das zielt unverkennbar auf Kant. Dessen Pflichtethik hatte zu Beginn des Studiums den Lebensplan mitbestimmt. Aber dieselbe Ethik wird nunmehr in eine umfassende Kritik an Wissenschaft und Philosophie einbezogen. Ihre Argumente weisen auf die berühmte Akademieschrift Rousseaus aus dem Jahre 1750 zurück, in der die Frage zu beantworten gesucht wurde, ob der Fortschritt der Wissenschaften und Künste zur Verderbnis oder zur Verfeinerung der Sitten beigetragen habe. Kleist stellt im engen Anschluß an Rousseau die Frage, was die prächtigen Bände in der Nationalbibliothek uns wohl genutzt haben: „Haben sie das Rad aufhalten können, das unaufhaltsam stürzend seinem Abgrund entgegeneilt?" (II/681). Und die eigene Wissenschaft ist gemeint, wenn es im Fortgang des Schreibens heißt: „Ja selbst dieses Studium der Naturwissenschaft, auf welches der ganze Geist der französischen Nation mit fast vereinten Kräften gefallen ist, wohin wird es führen?" (II/681). Doch folgt Kleist dem Gedankengang Rousseaus keinesfalls unkritisch und ohne Vorbehalt. Er nimmt seine Thesen auf, aber er stellt auch Widersprüche fest: Wenn die Unwissenheit unsere Ein-

---

[4] An Wilhelmine von Zenge vom 9. IV. 1802: „und so komme ich denn wieder in jenen Kreis von halben, trocknen, einseitigen Menschen, in deren Gesellschaft ich mich nie wohl befand" (II/643); an Wilhelmine von Zenge vom 15. IX. 1800: „... die Erfüllung der trocknen Pflicht, wie Kant versichert [...]" (II/565); an Wilhelmine von Zenge abermals (vom 28. III. 1801): „Aber ich habe mich nur des Auges in meinem Briefe als eines *erklärenden* Beispiels bedient, weil ich Dir selbst die trockne Sprache der Philosophie nicht vortragen konnte" (II/638).

falt und Unschuld sichert, so öffnet sie damit doch zugleich dem Aberglauben Tür und Tor; und wenn die Wissenschaften uns in das Labyrinth des Luxus führen, so sind wir eben dadurch vor Aberglauben geschützt.

Man hat sich die Wirkungen Rousseaus nicht nachhaltig genug zum Bewußtsein zu bringen. In eben dem Augenblick, in dem die neuzeitliche Wissenschaft zu dem beispielhaften Aufstieg ihrer Geschichte ansetzt, wird sie auf radikale Art in Frage gestellt; und Kleist war keineswegs der einzige, der solche Gedanken äußerte. Auch Hölderlin hat sie vorgebracht oder durch Hyperion vorbringen lassen? „Ach! wär' ich nie in eure Schulen gegangen. Die Wissenschaft, der ich in den Schacht hinunter folgte, von der ich, jugendlich thöricht die Bestätigung meiner reinen Freude erwartete, die hat mir alles verdorben".[5] Das hat mit der Wissenschaftsfeindlichkeit, wie sie sich in neueren Schriften hier und da artikuliert, wenig oder nichts zu tun, aber doch sehr viel mit dem, was Schiller als die Vereinzelung des Menschen und seiner Geisteskräfte beklagte. Es sind mithin grundsätzliche Bedenken, die gegen die Fortschritte der Wissenschaft geltend gemacht werden, und die kantische Philosophie ist nur ein Teil dieser Kritik. Die sogenannte Kantkrise Kleists ist daher auf keinen Fall zu isolieren. Sie ist im Zusammenhang der zahlreichen Krisen zu sehen, die vielfach auch, wie im Falle Hölderlins oder Friedrich Schlegels, Fichtekrisen gewesen sind; und sie ist, was Kleist angeht, im Kontext seiner konkreten Lebenssituation zu interpretieren: eines krisenhaften Geschehens von beträchtlichem Ausmaß.

Dieses krisenhafte Geschehen, das spätestens im Jahre 1800 mit der Reise nach Würzburg offenkundig wird, läßt eine seelische Bedrängnis vermuten, die sich in einer bezeichnenden Sprachnot äußert. Die Sprache tauge nicht dazu, daß man alles mitteilen kann, was man mitteilen möchte, heißt es in einem Brief an die Schwester: „sie kann die Seele nicht malen, und was sie uns gibt sind nur zerrissene Bruchstücke" (II/626). Diese Sprachkrise läßt eine umfassende Identitätskrise vermuten, wie sie Heinz Politzer beschreibt: im dramatischen Auf und Ab der Reise (nach Würzburg) trete die Absicht einer Flucht hervor, die ungleich mehr sei als nur Flucht, nämlich Suche nach der Identität des Menschen.[6] Von einem Auf und Ab dieser Reise kann gesprochen werden, weil es inmitten des krisenhaften Geschehens auch zahlreiche Aufhellungen gibt, Phasen, die von Vertrauen und Zuversicht bestimmt sind. Solche Aufhellungen sind zumeist mit dem Freund in Verbindung zu bringen, der Kleist auf dieser Reise begleitet. Es ist der um neun Jahre ältere Ludwig von Brockes, von dem

---

[5] Stuttgarter Hölderlin-Ausgabe, hg. von F. Beißner. Stuttgart 1967, Bd. III, S. 9.

[6] Heinz Politzer: Auf der Suche nach Identität. Zu Heinrich von Kleists Würzburger Reise, in: H. P.: Hatte Ödipus einen Ödipus-Komplex. Versuche zum Thema Psychoanalyse und Literatur". München 1974, S. 182—202.

Varnhagen von Ense mit hoher Achtung spricht: „ein edler gebildeter Mann voll hohen Ernstes der Seele und von großer Zartheit des Gemüts".[7] Was alles ihm dieser Freund bedeutet, kommt in den während der Reise geschriebenen Briefen unmißverständlich zum Ausdruck: „Ohne *Brokes* würde mir vielleicht Heiterkeit, vielleicht selbst Kraft zu meinem Unternehmen fehlen", teilt er der Braut mit (II/548); oder deutlicher noch an anderer Stelle: „Zuweilen bin ich auf Augenblicke ganz vergnügt. Wenn ich so im offnen Wagen sitze, den Mantel gut geordnet, die Pfeife brennend, neben mir Brokes [...] und i n m i r Zufriedenheit — dann, ja dann bin ich froh, recht herzlich froh" (II/549). In einer ausweglosen Lebenssituation, wie sie zu vermuten ist, scheint der Ältere jener Halt gewesen zu sein, dessen der Jüngere bedurfte. Doch verstärkt sich die Krise mit der notwendig gewordenen Trennung des Freundes zu Anfang des Jahres 1801. Die Zweifel an Wissen und Wissenschaft gewinnen an Schärfe — bis sich bald danach die Verzweiflung über die Kantische Philosophie in den Briefen niederschlägt, die an Deutlichkeit nichts zu wünschen übrig lassen. Seelische Verwirrungen spielen hinein. Kleist selbst hat es so gesehen. Er spricht davon, daß ihn die Sätze einer traurigen Philosophie verwirrt hätten (II/667); da er durch sich selbst in einen Irrtum gefallen sei, müsse er sich auch durch sich selbst wieder heben, und vielsagend fügt er hinzu: „Aber ich werde das Wort, welches das Rätsel löset, schon finden [...]" (II/638).

Das hört sich an, als bedürfe es lediglich eines Wortes, um Licht in das Dunkel zu bringen, dem er sich gegenübersieht. Doch nicht erst jetzt wird die Welt als ein derart undurchdringliches und rätselhaftes Etwas erfahren. Solche Vorstellungen entwickeln sich konsequent aus der Richtung seines Denkens. Schon die Zeugnisse der frühen Zeit belegen es. Sie sprechen vom Interesse als einem rätselhaften Ding, „das sich erzeugt, wir wissen nicht wie, und oft wieder verschwindet, wir wissen nicht wie [...]" (II/509). So sehr ist das Denken von der Vorstellung einer verrätselten Welt erfüllt, daß sie Kleist aus fast beliebigem Anlaß bestätigt sieht, wie gelegentlich eines Unfalls auf der Reise nach Paris. Die Pferde sind durchgegangen, der Wagen ist umgestürzt, und welchen Sinn das Leben gehabt haben könnte, wenn es zu Ende gegangen wäre, wird erwogen: „*Das* wäre die Absicht des Schöpfers gewesen bei diesem dunkeln, rätselhaften irdischen Leben?" (II/669). Danach der für sein Denken so bezeichnende Passus: „Dieses rätselhafte Ding, das wir besitzen, wir wissen nicht von wem, das uns fortführt, wir wissen nicht wohin, das unser Eigentum ist, wir wissen nicht, ob wir darüber schalten dürfen, eine Habe, die nichts wert ist, wenn sie uns etwas wert ist, ein Ding, wie ein Widerspruch, flach und tief, öde und reich, würdig und verächtlich, vieldeutig und unergründlich, ein Ding, das jeder wegwerfen möchte, wie ein unverständliches Buch, sind wir nicht durch ein Naturgesetz gezwungen, es zu lieben?" (II/670). Widerspruch und Rätsel

---

[7] Heinrich von Kleists Lebensspuren, hg. von H. Sembdner. Bremen 1957, S. 24.

werden zu bestimmenden Strukturmerkmalen seiner Dichtung, in den Novellen
so gut wie in den Dramen. Die Rätsel werden, wie für Amphitryon, zu
Teufelsrätseln, die es zu entwirren gilt. Die verrätselte Welt wird zum Labyrinth, in dem man herumirrt und dennoch hofft, „des Rätsels ganzes Trugnetz
zu zerreißen" (I/303). Die einander nächsten Menschen sind sich fremd:

> Was in ihr walten mag, das weiß nur sie,
> Und jeder Busen ist, der fühlt, ein Rätsel,

sagt Prothoe von Penthesilea (I/365). Es ist die Welt nach dem Sündenfall, in
der wir uns befinden. Das Paradies ist verriegelt; „wir müssen die Reise um
die Welt machen und sehen, ob es vielleicht von hinten irgendwo wieder offen
ist" (II/342). Der Wille, der über der Menschengattung waltet, wird als un-
begreiflich bezeichnet (II/682). Gott wird nolens volens zum deus absconditus.

Die Frage drängt sich auf, wie wir uns ein solches Weltbild zu erklären
haben. In der Literatur um 1800 gibt es kaum Vergleichbares, wenigstens nicht
in solcher Radikalität. Die Weimarer Klassik erscheint gegenüber der Vor-
stellungswelt Kleists fast wie eine heile Welt. Man wird annehmen müssen
— will man auf solche Fragen eine Antwort versuchen —, daß der junge Kleist
vom Umsturz der bis dahin gesicherten Ordnung, wie er sie erlebte, bis ins
Innerste erschüttert wurde. Von diesem Umsturz handelt ein Brief aus dem
Jahre 1805: „Die Zeit scheint eine neue Ordnung der Dinge herbeiführen zu
wollen, und wir werden davon nichts, als bloß den Umsturz der alten erleben"
(II/761). Was aber ist mit der Ordnung der Dinge gemeint? In der Welt des
18. Jahrhunderts — aber sicher auch später noch — sind die Familie, der
überlieferte Glaube und der Staat samt seiner königlichen Herrschaft die Säulen
einer solchen Ordnung in erster Linie. Die Welt wird zur verrätselten Welt in
dem Maße, in dem Bindungen wie diese nicht mehr selbstverständlich gegeben
sind. Daher wird der Wissenschaft nach dem Ausscheiden aus dem Militärdienst
fast bedingungslos vertraut. Aber schon um die Zeit der sogenannten Kantkrise
hat dieses Vertrauen aufgehört, einen Halt zu gewähren: „Selbst die Säule, an
welche ich mich sonst in dem Strudel des Lebens hielt, wankt — — Ich meine
die Liebe zu den Wissenchaften", heißt es in einem Brief an die Schwester
(II/629); und ähnlich an anderer Stelle: „Mein *einziges* und *höchstes*
Ziel ist gesunken; ich habe keines mehr. Seitdem ekelt mich vor den Büchern,
ich lege die Hände in den Schoß, und suche ein neues Ziel, dem mein Geist,
froh-beschäftigt, von neuem entgegenschreiten könnte" (II/636). Die eigene
Dichtung ist zunehmend das Ziel, auf das sich seine Blicke richten. Mit ihr
wagte Kleist den Versuch, inmitten des krisenhaften Geschehens der verrätselten Welt nun dennoch einen Sinn abzugewinnen. Es ist ein wahrhaft drama-
tischer Lebenslauf, in den wir Einblick erhalten; und dramatisch war auch der
Weg, der ihn zur eigenen Dichtung führte.

Wir wissen nicht, wann Kleist sich zuerst als Dichter verstanden hat. Zwar gibt es einige wenige Gedichte aus früher Zeit, und am Interesse für Politisches fehlt es nicht. Aber die ersten Werke, in der Schweiz niedergeschrieben und abgeschlossen, sind unvermutet da. Sie wirken selbständig und auf eigentümliche Weise fertig. Man habe den Eindruck, so ist gesagt worden, „als ob sich Kleist in der ausweglos erscheinenden Not seines ersten geistigen Zusammenbruchs [...] plötzlich gleichsam dazu ‚entschlossen‘ habe, Dichter zu werden“.[8] Aber gänzlich unvermutet tritt Kleist als Dichter nicht hervor. Es gibt wichtige Stationen auf diesem Weg; und es gibt einige Städte, die aus seinem schriftstellerischen Werdegang nicht wegzudenken sind. Dresden ist eine dieser Städte. Hier scheint sich Kleist auf dem Wege nach Würzburg die Natur in einer Weise erschlossen zu haben wie nie zuvor, bezeichnenderweise im Bild eines Tales: „In dem reizenden Tale von Tharandt war ich unbeschreiblich bewegt [...]. Solche Täler, eng und heimlich, sind das wahre Vaterland der Liebe“ (II/545). Ein halbes Jahr später, im Mai 1801, macht er erneut in Dresden Station und erlebt hier die heitersten Augenblicke seines Lebens; es sind solche der Selbstvergessenheit, also des Eintauchens ins Unbewußte. Aber das Unbewußte als Heilung oder Hoffnung wird erstrebt, indem mit dem Bewußtsein gerechnet wird; das eine verweist auf das andere: „Meine heitersten Augenblicke sind solche, wo ich mich selbst vergesse — und doch, gibt es Freude, ohne ruhiges Selbstbewußtsein?“ (II/648). In einem Brief aus Paris kommt er auf die Erlebnisse in Dresden erneut zu sprechen und erklärt unumwunden: „Ach, ich zähle diesen Aufenthalt zu den frohesten Stunden meines Lebens“ (II/662). Es ist derselbe Brief, der den eigenen Namen als einen Dichternamen nennt: „wenn Sie ein Wort finden, das warm ist, wie ein Herz, und einen Namen, der hold klingt, wie ein Dichternamen, so können Sie nicht fehlen; denn kurz es ist Heinrich Kleist“ (II/660). Das Bewußtsein der eigenen Berufung wird während des Aufenthalts in Paris im Juli 1801 in Erinnerung an die Dresdner Erlebnisse unüberhörbar zum Ausdruck gebracht.

Aber zweifellos ist Würzburg die wichtigste Station auf diesem Weg. Hier wurde im Umgang mit dem verstehenden Freund ein neues Zutrauen zum Leben gewonnen. Hier zum erstenmal, soweit man sieht, muß Kleist etwas von dem Halt erfahren haben, den künstlerische Tätigkeit gewähren kann; und das hat zunächst sehr viel mit den Bildern seiner Sprache zu tun. Welche Lebenskraft, welche lebenerhaltende Kraft ihnen innewohnen kann, ist der modernen Psychologie bekannt. Im 18. Jahrhundert hat ihnen Hamann, der Magus des Nordens, begeistert das Wort geredet: „Sinne und Leidenschaften reden und verstehen nichts als Bilder. In Bildern besteht der ganze Schatz menschlicher Erkenntniß und Glückseligkeit“. So steht es in der *Aesthetica in nuce*.[9] Man hat

---

[8] Hermann August Korff: Geist der Goethezeit. Leipzig 1953. IV. Teil, S. 34.

[9] Sämtliche Werke, hg. von Josef Nadler. Wien 1950. Bd. II, S. 197.

guten Grund, das Wort hier anzuführen; denn eine Art Glückseligkeit müssen für Kleist bestimmte Bilder seines Denkens bedeutet haben. Das Gewölbe ist hier vor anderen zu nennen. Die Vorstellungen, die sich damit verbinden, werden im Rückblick auf den Würzburger Aufenthalt rekapituliert: „Als die Sonne herabsank war es mir als ob mein Glück unterginge. Mich schauerte, wenn ich dachte, daß ich vielleicht von *allem* scheiden müßte, von allem, was mir teuer ist. Da ging ich, in mich gekehrt, durch das gewölbte Tor, sinnend zurück in die Stadt. Warum, dachte ich, sinkt wohl das Gewölbe nicht ein, da es doch *keine* Stütze hat? Es steht, anwortete ich, *weil alle Steine auf einmal einstürzen wollen* — und ich zog aus diesem Gedanken einen unbeschreiblich erquickenden Trost, der mir bis zu dem entscheidenden Augenblicke immer mit der Hoffnung zur Seite stand, daß auch ich mich halten würde, wenn alles mich sinken läßt" (II/593). Das Bild geht in die spätere Dichtung ein und kehrt wieder in den Versen, mit denen Prothoe die Amazonenkönigin ermahnt:

> Steh, stehe fest, wie das Gewölbe steht,
> Weil seiner Blöcke jeder stürzen will (I/367).

Das Gleichnis ist bezeichnend für die Art, wie sich naturwissenschaftliches Denken mit Bildern der späteren Dichtung verknüpft. Die wiederholte Bezugnahme auf die Schwerkraft der Erde fällt auf. Ihr werden Vorgänge des Schwebens zugeordnet. Davon handelt derselbe Brief, der das Gewölbe-Gleichnis erläutert. Von Newton wird gesagt, daß er über der Vorstellung von der Schwerkraft der Erde zu dem Gesetz gelangt sei, nach welchem die Weltkörper sich schwebend im unendlichen Raum erhalten; und den französischen Physiker François Pilâtre führt Kleist an, weil dieser beobachtet hat, daß der aufsteigende Rauch fähig sei, eine gewisse Last in die Höhe zu nehmen. Dieser Physiker sei darüber zum Erfinder der Luftschiffahrt geworden. Alle diese Naturbilder haben es mit Materie zu tun, die im Raume schwebt. Sie weisen voraus auf das Denkbild des Antigraven, wie man es aus dem Aufsatz über das Marionettentheater kennt. Die Puppen, so wird hier gesagt, haben „den Vorteil, daß sie antigrav sind." Sie wüßten nichts von der Trägheit der Materie, „weil die Kraft, die sie in die Lüfte erhebt, größer ist als jene, die sie an die Erde fesselt" (II/342). Eine bestimmte Art des Denkens entwickelt sich, eine Denkform, in der wiederholt ein Zusammenhang zwischen der klassischen Physik und seelischen Vorgängen hergestellt wird. Gelegentliche Briefäußerungen bestätigen solche Beobachtungen. „Denn nichts als Schmerzen gewährt mir dieses ewig bewegte Herz, das wie ein Planet [...] zur Rechten und zur Linken wankt und von ganzer Seele sehne ich mich, wonach die ganze Schöpfung und alle immer langsamer und langsamer rollenden Weltkörper streben, nach *Ruhe!*" (II/643). Im Aufsatz über das Marionettentheater sind in der Wendung vom Schwerpunkt der Seele die zentralen Begriffe beider Bereiche miteinander verknüpft. Auch Schellings Deutung der Schwermut nimmt eine solche Verknüpfung vor, indem sie das eine mit dem anderen vergleicht: „Das Dunkelste und darum Tiefste der menschlichen Natur ist die Sehnsucht, gleichsam die innere Schwerkraft des Gemüts, daher in ihrer tiefsten Erscheinung *Schwermuth*".[10] Es gibt mithin neben der mathematisch-physikalischen Welt, aber nicht unabhängig von ihr, eine andere Welt, eine solche des Seelenlebens, die in ihren Gesetzen und Abläufen nicht ohne weiteres einsehbar und beweisbar ist. Daher sind Vertrauen und Standfestigkeit gegenüber dem nicht Beweisbaren gefordert.

Die Beziehung zum eigenen Seelenleben ist im mehrfach wiederkehrenden Bild der Eiche gleichermaßen ausgeprägt. Was Kleist an ihr wahrnimmt, erläutert er in einem Brief aus dem Jahre 1801: „Die abgestorbene Eiche, sie steht unerschüttert im Sturm, aber die blühende stürzt er, *weil er in ihre Krone greifen kann*" (II/678). Das Bild kehrt fast wörtlich wieder im Drama *Die Familie Schroffenstein;* hier wird es von Sylvester gebraucht:

> Denn
> Die kranke abgestorbne Eiche steht
> Dem Sturm, doch die gesunde stürzt er nieder
> Weil er in ihre Krone greifen kann (I/84).

Auch gegen Ende des *Penthesilea*-Dramas findet es sich wieder, und es ist Prothoe, die das, was hier geschehen ist, im Bild der Eiche deutet:

> Sie sank, weil sie zu stolz und kräftig blühte!
> Die abgestorbne Eiche steht im Sturm,
> Doch die gesunde stürzt er schmetternd nieder,
> Weil er in ihre Krone greifen kann (I/428).[11]

Was hier im Bild zum Ausdruck gebracht wird, bezeichnet im Grunde einen Widersinn, ein Paradox. Aber natürlich sollen wir nicht den Widersinn vernehmen, sondern den Eindruck gewinnen, daß durchaus ein Sinn solchem Geschehen innewohnen könne — ein tragischer Sinn, wie im Fall der Penthesilea. Der Sinn, den es gegebenenfalls gegen alles Sichtbare und Beweisbare aufzufinden gilt, beruht darin, daß ein Mensch nicht einfach ins Nichts stürzt, sondern seine Menschlichkeit noch im Sturz und im Scheitern bezeugt.

> Wir, wir Menschen fallen
> Ja nicht für Geld, auch nicht zur Schau. — Doch sollen
> Wir stets des Anschauns würdig aufstehn,

---

[10] Schellings Werke. Münchner Jubiläumsdruck. 4. Hauptband. Stuttgarter Privatvorlesungen. 1810, S. 357/58.
[11] Hierzu Martin Stern: Die Eiche als Sinnbild bei Heinrich von Kleist, in: Jahrbuch der Deutschen Schillergesellschaft. Bd. VIII (1964), S. 199—225.

heißt es in der *Familie Schroffenstein* (I/84). Jeronimo (im *Erdbeben in Chili*) nahm sich nach seiner wunderbaren Errettung infolge des Erdbebens fest vor, „nicht zu wanken, wenn auch jetzt die Eichen entwurzelt werden, und ihre Wipfel über ihn zusammenstürzen sollten" (II/147). Im Gewölbegleichnis sind Trost und Zuversicht — daß etwas steht, obwohl es zu stürzen scheint — noch deutlicher bezeichnet. Sinken, Wanken und Stehen werden Grundbegriffe seiner Bilderwelt.[12] Gegenüber der mathematisch-physikalischen Welt und ihren Gesetzen wird der Kunst die Möglichkeit zuerkannt, jene andere Welt — diejenige des Seelenlebens und des Zusammenlebens unter Menschen — zu erschließen und Sinn in ihr aufzufinden. Solches zu tun, wird schon in Würzburg als die eigentliche Aufgabe des Dichters erfaßt, wenn es heißt: „und das ist eben das Talent der Dichter, welche ebensowenig wie wir in Arkadien leben, aber das Arkadische oder überhaupt Interessante auch an dem Gemeinsten, das uns umgibt, heraus finden können" (II/572). Den Dichtern komme es zu, das Arkadische auch am Gemeinsten, das uns umgibt, herauszufinden, schreibt Kleist. Damit ist auf eine prägnante Art umschrieben, was er sich hinfort als Dichter vornehmen wird. An seiner poetischen Praxis ist der Gegensatz zwischen dem Gemeinsten und dem Arkadischen zu erläutern. Wir richten uns dabei auf diejenigen Stellen in der überlieferten „Ordnung der Dinge", die der junge Kleist als so überaus wandelbar, unsicher und fragwürdig erfahren hat: auf Familie, Glaube und Staat.

Die Familie bei Kleist ist ein merkwürdig unbeachtetes Phänomen. Sie ist zugleich ein wunder Punkt seiner Biographie; denn bis in die letzte Lebenszeit hinein war er bemüht, sich als Dichter mit seinem Werk der eigenen Familie zu beweisen. Es ist ihm nicht gelungen, wie wir einem seiner letzten Briefe zu entnehmen haben. Stets sei es sein Wunsch gewesen, den Geschwistern mit seinem Werk recht viel Ehre und Freude zu machen, führt er im Brief an Marie von Kleist vom 10. XI. 1811 aus und fährt fort: „aber der Gedanke, das Verdienst, das ich doch zuletzt, es sei nun groß oder klein, habe, gar nicht anerkannt zu sehn, und mich von ihnen als ein ganz nichtsnutziges Glied der menschlichen Gesellschaft, das keiner Teilnahme wert sei, betrachtet zu sehn, ist mir überaus schmerzhaft [. . .]" (II/883). So wundern wir uns nicht, wenn die Familie auch in seiner Dichtung als eine überaus problematisch gewordene Institution erscheint. Kleist beginnt die Reihe seiner Werke mit einem Familiendrama, mit dem Trauerspiel *Die Familie Schroffenstein*. Aber mit der Tradition

---

[12] Vgl. an Wilhelmine von Zenge vom 21. VII. 1801: „Habe ich nicht Talent, und Herz und Geist, und ist meine gesunkene Kraft denn für immer gesunken?" (II/668). Im Brief vom 28. VII. 1801 an Adolphine von Werdeck: „Ach, das Leben des Menschen ist, wie jeder Strom, bei seinem Ursprunge am höchsten. Es fließt nur fort, indem es fällt — In das Meer müssen wir alle — wir sinken und sinken [. . .]" (II/674). Vom Rhein heißt es in einem Brief aus derselben Zeit: „Er aber durchbricht es, und wankt nicht, und die Felsen weichen ihm aus [. . .]" (II/664).

des bürgerlichen Trauerspiels hat dieses Werk wenig zu tun. Die Familie hört auf, Einheit zu sein, die noch im tragischen Scheitern — wie bei Lessing — überdauert. Das Band der Blutsverwandtschaft ist gerissen, wie es im Text des Dramas heißt:

> Und Vettern, Kinder eines Vaters, zielen,
> Mit Dolchen zielen sie auf ihre Brüste (I/53).

Die Familie wird zeichenhaft für eine entzweite Welt, wie sie am Gegenstand des zerbrochenen Krugs offenkundig wird. Spaltung ist ein wiederholt von Kleist gebrauchtes Wort. „Ich will von ungespaltnem Leibe sein", sagt der Dorfrichter Adam beiläufig, indem er etwas ihm unbewußt Bezeichnendes sagt (I/218). Auch die Familie des Normannenherzogs Guiskard ist von einer Spaltung betroffen, wie sie durch die Pest aufgedeckt wird:

> Zu Asche gleich, wohin ihr Fuß sich wendet,
> Zerfallen Roß und Reuter hinter ihr,
> Vom Freund den Freund hinweg, die Braut vom Bräutgam,
> Vom eignen Kind hinweg die Mutter schreckend (I/155).

Auch Penthesilea ist in diesem Zusammenhang zu nennen:

> Als wollte sie den ganzen Griechenstamm
> Bis auf den Grund, die Wütende, zerspalten (I/327).

Mehr noch als die Dramen beleuchten die Novellen die Gefährdungen, denen Familien immer erneut ausgesetzt sind. Keiner ihrer Angehörigen kann sich dem Gift des Mißtrauens entziehen, wenn es sich ausbreitet. Es liegt in der Natur des Menschen, daß es auch die einander Nächsten erfaßt. Mit faszinierender Eindringlichkeit wird es in der durch Rassenhaß zerstörten Gesellschaft von St. Domingo gezeigt. Alles im Verhalten dieser Menschen erscheint rätselhaft, zweideutig und undurchschaubar. Vorwand, List und Taktik bestimmen ihr Denken — bis sich eine der Betroffenen, das uneheliche Kind einer Mulattin, zur Entscheidung durchringt: für den Geliebten und gegen die eigene Mutter. Das geschieht mit den Worten: „Die Unmenschlichkeiten, an denen ihr mich Teilzunehmen zwingt, empörten längst mein innerstes Gefühl" (II/177). Aber die Verlobung des farbigen Mädchens mit dem Europäer führt nicht zur Ehe, sondern in eine furchtbare Katastrophe hinein. Die eigenlich trostlose Erzählung erschließt sich in ihrem Sinn durch einen unauffälligen Konjunktiv: „Ach [...] du hättest mir nicht mißtrauen sollen!" Das ist wenig genug gegenüber dem, was hier zerstört wird — und ist dennoch etwas. Denn Vertrauen — und im Grunde ist Kleists Dichtung ein einziger Appell, es zu üben — wird hier wie in anderen Texten nicht als etwas Übliches, sondern als etwas durchaus Ungewöhnliches gefordert, das sich nicht von selbst versteht — gegen alle sichtbaren und greifbaren Beweise. Es wird erst recht in der wohl unversöhnlichsten Erzählung gefordert, die Kleist geschrieben hat, im *Findling*. Das adoptierte Kind wird nicht als die Gabe Gottes begriffen, an dem sich Vertrauen unter Menschen bewähren könnte; Vertrauen wird im Gegenteil auf eine hoffnungsvolle Weise verfehlt. Ein einziges Wort wird in seiner Bedeutung erzählend gleichsam neu erschlossen und damit über das Bestehende hinausgeführt; und gewiß ist es kein beliebiges Wort, wenn man bedenkt, daß damit zugleich auf eine Grundfrage jeder Therapie verwiesen wird, aber auf eine Grundfrage jeder Familie nicht minder, wenn die bedrohliche These von ihrem Tod nicht unwidersprochen bleiben soll.

Die Novelle *Das Erdbeben in Chili* ist nicht weniger trostlos in ihrem Verlauf wie in ihrem Ausgang. Die glückliche Wiederfindung der jungen Eltern und ihres Kindes ist nur ein retardierendes Moment im überstürzten Ablauf des Geschehens, das in einer entsetzlichen Katastrophe endet. Was Familie bedeuten kann, ist ins Gegenteil verkehrt. Eltern und Geschwister stehen gegen die junge Mutter, die ihr Kind außerhalb der kirchlichen und bürgerlichen Ordnung zur Welt bringt: auf den Stufen der Kathedrale von Santiago und am Fronleichnamstage obendrein. Ihre wunderbare Errettung infolge einer Naturkatastrophe scheint für sie zu sprechen, und es sieht zunächst so aus, als spräche sich auch der Gott für sie aus, der das Geschehen lenkt. In Wirklichkeit ist es ein deus absconditus, und da die einen wie die anderen den Tod finden, erfahren wir so gut wie nichts darüber, ob wir es mit einer gerechten Strafe zu tun haben. Was am Ende geschieht, bleibt rätselhaft und zweideutig. Der verweisende Sinn erschließt sich in einem bezeichnenden Konjunktiv, in einem Als-Ob. Die jungen Eltern und ihr Kind finden sich mit anderen in einem Tal wieder — „als ob es das Tal von Eden gewesen wäre" (II/149). Sie sind aufgrund der geltenden Ordnungen nicht eine Familie, aber es kommt ihnen so vor, „als ob das allgemeine Unglück alles, was ihm entronnen war, zu *einer* Familie gemacht hätte" (II/152). Die Familie, die sich Jeronimo und Josephe gewünscht hätten, kommt nicht zustande. Statt dessen wird das überlebende Kind als Adoptivkind in eine Ehegemeinschaft aufgenommen, so daß es abschließend heißen kann: „und wenn Don Fernando Philippen mit Juan verglich, und wie er beide erworben hatte, so war ihm fast, als müßt er sich freuen" (II/159). Die Adoption von Kindern wird hier wie in anderen Dichtungen in ihrer Bedeutung ausgezeichnet. Die so entstehende oder entstandene Gemeinschaft erhält Vorrang vor der natürlichen Familie. Auf die Familie, die erst geschaffen werden muß, kommt es an. Sie ist wichtiger als jene, die in gedankenloser Konvention ihren Sinn zu verlieren droht.

Familienmotive sind hier und andernorts mit religiösen Motiven verknüpft. Das führt uns zur zweiten brüchigen Stelle in Kleists Bild der gebrechlichen Welt: zu den religiösen Motiven und zu den Fragen nach dem Verhältnis zum überlieferten Glauben. Sie sind in neuerer Zeit über den gesellschaftlichen Interessen ein wenig in Vergessenheit geraten. In der Zeit nach dem Ersten Weltkrieg standen sie im Zentrum der damaligen Forschung. Katholische wie protestantische Ansprüche wurden geltend gemacht, die letzteren im Zeichen Kierkegaards. Man konnte den Eindruck erhalten, als sei dieser Dichter ein religiöser Dichter kat'exochen; als sei er ein homo religiosus ohne jede Einschränkung und von Anfang an. Aber damit würde ein unzutreffendes Bild vermittelt. Der Weg zur Dichtung wird von vehementer Religionskritik begleitet. Daß ein Gott sei, daß es ein ewiges Leben gebe, das alles seien Sätze, die wir entbehren können, schreibt Kleist im September 1800 aus Würzburg.[13] Kritik wird an jenen geübt, die nicht wissen, wovon sie reden, wenn sie von Gott reden.[14] Aber zugleich wird trotz aller Kritik am Bestehenden mit stiller Hoffnung an einen Gott gedacht, „der mich sieht, und an eine frohe Ewigkeit, die meiner wartet" (II/317). Zweifel und Zuversicht stehen gegeneinander, und auch dabei wird deutlich, wie erschüttert sich die Ordnung der Dinge in diesen Fragen darstellt. Das setzt sich im dichterischen Werk fort. Das erste abgeschlossene Drama, *Die Familie Schroffenstein*, ist reich an religiösen Motiven. Es sind zumeist Symbole des christlichen Glaubens, deren sich Kleist bedient. Die Eingangsszene steht ganz in ihren Zeichen. Man befindet sich im Inneren einer Kapelle, und mit Chorgesang wird das Drama hochfeierlich eröffnet. Aber diese Szene ist von entsetzlichen Widersprüchen geprägt. Hier wird auf die Hostie geschworen; aber es wird Rache geschworen. Der Glaube der einen ist von Mißtrauen vergiftet; den anderen ist Gott zum Rätsel geworden:

> Ich bin dir wohl ein Rätsel?
> Nicht wahr? Nun, tröste dich; Gott ist es mir (I/93).

Die so geübte Religionskritik ist Teil einer umfassenden Gesellschaftskritik, die in den abgeschlossenen Erbverträgen ihren Grund hat. Diese Erbverträge, eine Folge des Sündenfalls, sind es vor allem, die Mißtrauen unter Menschen verbreiten. Solches Mißtrauen nennt der Text des Dramas das Gemeine. Aber die Aufgabe der Dichter sei, wie wir hörten, aus dem Gemeinsten das Arkadische herauszufinden. Das kann nur heißen, daß ein Sinn im poetischen Bild gefunden wird — nicht in einer Lehre, einer Weltanschauung oder einer neuen Religion. Ein solches Bild, wie es nur Dichter träumen können, liegt vor in der Art, wie die Kinder der verfeindeten Häuser zueinanderkommen. Sie kennen sich nicht. Sie kennen nicht einmal ihre Namen. Im Akt dieses Sichfindens nennt

---

[13] „Daß ein Gott sei, daß es ein ewiges Leben, einen Lohn für die Tugend, eine Strafe für das Laster gebe, das alles sind Sätze, die in jenem nicht gegründet sind, und die wir also entbehren können" (II/317).

[14] An Christian Ernst Martini vom 18./19. III. 1799: „Lieber! ich schäme mich nicht zu gestehen, was Sie befürchten: daß ich nicht deutlich weiß, wovon ich rede, und tröste mich mit unseren Philistern, die unter eben diesen Umständen von Gott reden" (II/475).

Ottokar die Geliebte Maria, und daß wir dabei an die Mutter Gottes denken sollen, ist deutlich ausgesprochen:

> Möge
> Die Ähnliche der Mutter Gottes auch
> Maria heißen [. . .] (I/62).

Im *Erdbeben in Chili* geschieht die Erkennung der Liebenden in derselben Weise: „Und das Herz hüpfte ihm bei diesem Anblick: er sprang voll Ahndung über die Gesteine herab, und rief: O Mutter Gottes, du Heilige! und erkannte Josephen, als sie sich bei dem Geräusche schüchtern umsah. Mit welcher Seligkeit umarmten sie sich, die Unglückliche, die ein Wunder des Himmels gerettet hatte!" (II/148). Auf die Frage nach dem Grund solcher Benennungen gibt Ottokar in der *Familie Schroffenstein* eine hochpoetische Erklärung, in der mit christlicher Symbolik sehr freizügig umgegangen wird:

> Erinnern will ich dich mit diesem Namen
> An jenen schönen Tag, wo ich dich taufte.
> Ich fand dich schlafend hier in diesem Tale,
> Das einer Wiege gleich dich bettete . . .
> > Da erwachtest du,
> Und blicktest wie mein neugebornes Glück
> Mich an. — Ich fragte dich nach deinem Namen;
> Du seist noch nicht getauft, sprachst du. — Da schöpfte
> Ich eine Hand voll Wasser aus dem Quell,
> Benetzte dir die Stirn, die Brust, und sprach:
> Weil du ein Ebenbild der Mutter Gottes,
> Maria tauf ich dich [. . .] (I/95).

Die Taufe ist das christliche Symbol der Namengebung. Sie scheint hier ganz privatem Gebrauch überlassen zu sein. Ottokar nimmt sie vor, während seine Geliebte schläft, sich also in einem Zustand des Unbewußten und des unschuldvollen Lebens befindet. Liebe und Religion werden in ihrer Unmittelbarkeit erfahren. Es geht um einen gesellschaftsfreien Raum, in dem Wahrheit vernommen werden kann, die durch Konventionen der bestehenden Gesellschaft nicht verstellt wird. Nicht auf den überlieferten Glauben, wie er geworden ist, kommt es an, sondern auf seine Erneuerung. Darauf zielt die Wendung vom neugeborenen Glück in dieser merkwürdigen Taufe. Wahre Liebe und wahrer Glaube, frei von allen Entstellungen der Gesellschaft, sollen gezeigt werden. Sie sind nur dort vorhanden, wo Vertrauen vorhanden ist — das A und O in Kleists Poetik. Welche Bedeutung dabei dem Unbewußten (oder dem unendlichen Bewußtsein) zukommt, verrät der herrliche Vers:

> Unerkannt hat Gott
> In dem Gebirge sie vereint (I/123).

Eine von Unwissenheit und Unbewußtheit gezeichnete Vereinigung widerfährt auch Alkmene im Lustspiel *Amphitryon*. Es ist eine solche mit dem Gott der Götter, dem gleichwohl sehr viel Menschliches und Allzumenschliches anhaftet. Göttliches wird nicht in unerreichbare Fernen entrückt; es wird der menschlichen Welt angenähert. Von den Göttern wird hier in einer Weise gesprochen, die vergessen läßt, daß Hölderlin um dieselbe Zeit in seiner Dichtung so ganz anders von ihnen sprach. In der *Penthesilea* ist die Religionskritik radikal. Religion und Staat sind hier gleichermaßen Voraussetzungen der Tragödie. Damit geht es um die wohl brüchigste Stelle im Bild der gebrechlichen Welt: um Kleists Verhältnis zum Staat und seiner Herrschaft.

Dieses gebrochene Verhältnis gilt es zu sehen, damit man ihn nicht einseitig als den nationalen Dichter versteht, der er nur partiell gewesen ist. Es gibt Äußerungen in den Briefen der frühen Zeit, die man als staatsfeindlich bezeichnen könnte. Wir lesen Sätze wie diese: „Ich soll tun was der Staat von mir verlangt, und doch soll ich nicht untersuchen, ob das, was er von mir verlangt, gut ist. Zu seinen unbekannten Zwecken soll ich ein bloßes Werkzeug sein — ich kann es nicht. Ein eigner Zweck steht mir vor Augen, nach ihm würde ich handeln *müssen*, und wenn der Staat es anders will, dem Staate nicht gehorchen *dürfen*" (II/584). Ein Radikaler ist es ohne Frage, der hier spricht. Kleist wirft die Frage auf, ob es dem Staat je um die Wahrheit zu tun sei, und die Antwort fällt sarkastisch aus: „Ein Staat kennt keinen andern Vorteil als den er nach Prozenten berechnen kann. Er will die Wahrheit *anwenden* — Und worauf? Auf Künste und Gewerbe. Er will das Bequeme noch bequemer machen, das Sinnliche noch versinnlichen, den raffiniertesten Luxus noch raffinieren" (II/681). In mehreren Werken ist das Bild entsprechend düster. So vor allem in der Tragödie der Penthesilea. Alle Entsetzlichkeiten dieses Dramas — „Sie hat ihn wirklich aufgegessen, den Achill, vor Liebe" (II/796) — werden mißverstanden, wenn man nicht begreift, welche Bewandtnis es mit den Gesetzen dieses Staates hat. Er basiert auf Unnatürlichkeiten und Entfremdungen des Menschen, die nicht folgenlos bleiben können. Religion und Staat — Thron und Altar — sind zu einer schrecklichen Symbiose geworden. Die Repräsentanten des Amazonenstaates, die Königin wie die höchste Priesterin, sind vom Staatsdenken bestimmt, ohne daß sie wüßten, in welchem Ausmaß sie davon bestimmt sind. Das macht die Tragödie am Ende so schrecklich. Doch steht es um die berechnenden Griechen und ihren Staat nicht sehr viel besser. Ihr Klügeln und Kalkulieren wird dem Spott preisgegeben; und wenn es in diesem Staat einen herausragenden Helden gibt, der anders denkt als die anderen, so ist es Achill. Er ragt aus seinem Staat so gut heraus wie Penthesilea aus dem ihren. Der Sinn liegt auch hier im Akt der Erkennung: sie sagt sich von diesem Staate los. Besserung der Welt, Weltverbesserung, wird allenfalls von der Einsicht des individuellen Menschen erhofft. Diese Blickrichtung auf den Ein-

23

zelnen ist mit der ästhetischen Erziehung verwandt, wie sie sich Schiller dachte. Sie bestätigt sich in der denkwürdigen Interpretation der *Penthesilea* durch Adam Müller in dessen Brief an Gentz vom 6. Februar 1808: „Sie, mein Freund, reden unserm ökonomischen Vorteil das Wort, und mißraten uns die Paradoxien, z. B. die anscheinende der Penthesilea. Wir dagegen wollen, es soll eine Zeit kommen, wo der Schmerz und die gewaltigsten tragischen Empfindungen, wie es sich gebührt, den Menschen gerüstet finden, und das zermalmendste Schicksal von schönen Herzen begreiflich und nicht als Paradoxie empfunden werde. Diesen Weg des menschlichen Gemüts über kolossalen, herzzerschneidenden Jammer hat Kleist in der Penthesilea als ein Vorfechter für die Nachwelt im voraus erfochten [...]".[15] Nirgends in der Welt dieses Dramas gibt es den Staat, den man sich wünschte, und nirgends im gesamten Werk gibt es die unangefochtene Autorität — den König von Gottes Gnaden. Alle überlegenen Personen bei Kleist sind wenigstens zeitweilig verwirrt und in ihrer Überlegenheit eingeschränkt. Der Gerichtsrat im *Zerbrochenen Krug* weiß vorübergehend nicht recht, woran er ist. Jupiter erweist sich im Umgang mit der von ihm heimgesuchten Alkmene nicht in jedem Sinn als der überlegene Gott der Götter, wie man ihn erwarten möchte. Auch der Kurfürst im *Prinzen von Homburg* — „mit der Stirn des Zeus" — ist von solch zeitweiliger Verwirrung nicht frei. Doch ist es keine Frage, daß sich in den letzten Werken ein anderes Bild des Staates und seiner Herrschaft abzeichnet und daß ein Wandel stattgefunden hat, der in der *Penthesilea* noch nicht abzusehen war.

Ein solcher Wandel ist in Kleists Biographie angelegt. Schon 1805 war er in Königsberg mit der Gedankenwelt der preußischen Reformer bekannt geworden.[16] Unter ihnen wurde der Freiherr von Stein sehr bald die treibende Kraft einer gegen Napoleon gerichteten Empörung. Kleists Wendung zum vaterländischen Dichter verläuft parallel. Die Entrüstung über den Korsen brachte den Freiherrn von Stein dahin, sich diesem gegenüber nicht mehr an die Gesetze der politischen Moral gebunden zu sehen. Kleists *Hermannsschlacht* übersetzt solche Auffassungen in Bilder und Szenen, die vielfach die Grenze des Zumutbaren überschreiten. Mit diesem Drama werden ohne Frage politische Ziele verfolgt. Aber diese Ziele sind nicht einfach am Nationalismus des späteren 19. Jahrhunderts zu messen. Sie richten sich auf die Erneuerung Preußens und auf eine neue Gesellschaft zugleich, und es ist der Alleinherrscher vor allem, mit dem sich Kleist, von Rousseau her denkend, nicht abzufinden vermochte. Mit dem wenige Jahre später entstandenen Schauspiel *Prinz Friedrich von Homburg* kehrt er, wie es den Anschein hat, von dem Ausflug in das

---

[15] Heinrich von Kleists Lebensspuren, S. 159/60.
[16] Auf die Studie Richard Samuels (Kleists *Hermannsschlacht* und der Freiherr von Stein) ist vor anderen Arbeiten zu verweisen, jetzt in: Heinrich von Kleist. Aufsätze und Essays. Darmstadt 1967, S. 412—458.

Gebiet der politischen Propaganda zur reinen Poesie zurück. Aber die politischen Ziele werden deshalb nicht aufgegeben. Nur wird gegenüber dem frühen Werk der Staat nicht mehr negiert oder in seiner Deformation gezeigt. Staatlichkeit und Menschlichkeit schließen sich nicht ein für allemal aus. Zwar ist die Welt des *Prinzen von Homburg* keine konfliktfreie Welt; Tragödien sind in ihr jederzeit möglich, aber Versöhnungen erst recht. Sie sind das erklärte Ziel des Dramas und seines Schöpfers. Doch ist es ein bloß ästhetischer Staat keineswegs. Hier gelten harte Gesetze, und die Todesstrafe gibt es wie bisher. Aber die Praxis wird durch Formen des christlichen Denkens gemildert: es gibt Vergebung und Gnade. Sie bleiben freilich dem Landesherrn überlassen, obgleich nicht zu beliebigem Gebrauch. Es kommt auf den Einzelnen so gut an wie auf den besonderen Fall, und damit nicht ausschließlich auf die Tat im objektiven Sinn. Eine Blickwendung von der Tat auf den Täter findet statt, wie sie in der Geschichte des Rechtsdenkens zu verfolgen ist. Erik Wolf hat es an Schillers Erzählung *Der Verbrecher aus verlorener Ehre* gezeigt.[17] Sie behandelt die Geschichte eines Menschen, der kein Verbrecher war, aber den die Umwelt dazu gemacht hat; und daß hier nur die Tat gilt und die Motive des Täters nichts, wird vom Erzähler — also von Schiller — tadelnd vermerkt: „Die Richter sahen in das Buch der Gesetze, aber nicht einer in die Gemütsverfassung des Beklagten".[18] Die Bittschrift des Verurteilten, Gnade vor Recht ergehen zu lassen, bleibt hier unbeantwortet. Anders in Kleists Schauspiel! In ihm soll im Gegenteil gezeigt werden, daß Gnade sehr wohl vor Recht gehen kann. Eben deshalb kommt so viel auf die Gemütsverfassung des Beklagten an. Das vaterländische Schauspiel kann dadurch das sublime Seelendrama werden, das es geworden ist. Aber nicht nur die Seelenlage des Prinzen ist zu erkunden. Auch vom Kurfürsten, der die Gnade ausübt, wollen wir wissen, wie er über die Sache denkt, und in diesem Punkt steht es nicht durchweg zum besten mit ihm. Wie er über Nataliens Verheiratung zu verfügen hofft, zeigt an, wie er als Souverän mit Menschen umgeht, nämlich souverän. Natalie fügt sich einer solchen Ausübung von Macht keineswegs. Sie belehrt den Kurfürsten auf ihre Art und ist notfalls zur Rebellion bereit, wenn anders die Vollstreckung der Todesstrafe nicht abzuwenden ist. Hier wird im Jahre 1810, mitten in Preußen, landesherrliche Autorität in einer Weise eingeschränkt, daß man nur staunen kann. Die herausgehobene Stellung, die dabei der Frau zugedacht wird, ist kaum zu übersehen. In Abwandlung eines bekannten Wortes von Kleist könnte man sagen, daß sich *Der Prinz von Homburg* und *Penthesilea* wie das Plus und Minus der Algebra zueinander verhalten, was die Frau im Staat oder den Frauenstaat angeht.

---

[17] Vom Wesen des Rechts in deutscher Dichtung. Frankfurt 1946, S. 246.
[18] Nationalausgabe, Bd. 16, hg. von H. H. Borcherdt. Weimar 1954, S. 11/12.

Zugleich wirft die Stellung der Prinzessin ein Licht auf das Familiendrama, das *Der Prinz von Homburg* außerdem ist. Abermals haben wir es mit einer Adoption zu tun: die Kurfürstin hat ihren Neffen — keinen anderen als den Prinzen von Homburg — adoptiert, und dieser nennt den Kurfürsten wiederholt Vater, obwohl es der leibliche Vater nicht ist. Die Spannungen, die auftreten, nähern sich einem handfesten Vater-Sohn-Konflikt, den Natalie vor anderen zu beschwichtigen weiß. Die fürstliche Familie, die keine natürliche Familie ist, droht auseinanderzubrechen, und nicht wie sie beschaffen ist, wird in dem herrlichen Drama vorgeführt, sondern wie sie entsteht. Auch der Staat wird nicht in seiner Statik dargestellt, sondern als etwas Werdendes gezeigt; und daß in ihm, daß gegen Ende des Stückes die Versöhnung — obschon in unmittelbarer Todesnähe — das letzte Wort hat, ist kaum zu bestreiten. Hat sich damit erledigt, was Kleist im frühen Werk gegen den bestehenden Staat wie gegen jeden Staat vorgebracht hat? Diese Frage ist nicht eindeutig zu beantworten; um so weniger, als wir nicht wissen, welcher Staat es eigentlich ist, der jetzt um vieles besser wegkommt als in den frühen Schriften. Das betrifft zugleich die Frage nach der Wirklichkeit, die das Drama stellt; und in diesem Punkt sind sich die Interpreten keineswegs einig. Hier werde Wirklichkeit negiert, sagen die einen; hier werde Wirklichkeit anerkannt und gefeiert, sagen die anderen. Aber wenn im *Prinzen von Homburg* Wirklichkeit gefeiert wird — die Wirklichkeit eines Staates, wie man ihn sich wünschte —, dann ist es nicht Wirklichkeit, wie sie ist, sondern wie sie sein kann oder sein sollte: die Wirklichkeit eines preußischen Staates, wie ihn die Reformpartei um Stein, Scharnhorst und Gneisenau erstrebte. Denn das Wort des Obersten Kottwitz in der Schlußszene des Schauspiels hat man allen Grund, wörtlich zu nehmen: „Ein Traum — was sonst?"[19] Dieser Traum stellt nichts Unverbindliches dar, sondern deutet weit mehr auf eine jederzeit mögliche Verbindung staatlicher Wirklichkeit mit Poesie hin, von deren Wirkung Kleist zu keiner Zeit seines Lebens so erfüllt war wie gegen Ende seines Lebens. Die hochgestimmten Erwartungen haben sich nicht erfüllt, und die Enttäuschung über die Aufnahme seiner Dichtung am preußischen Hof hat nicht wenig zu dem letzten seiner sogenannten Zusammenbrüche beigetragen. Aber was ihm selbst die Dichtung bedeutet hat, wird im Grunde erst von diesem Ende her einsehbar.

Künstlerische Tätigkeit als eine Art Lebensrettung: so muß sie wohl von Kleist erfahren worden sein, solange sie ihn zu tragen vermochte. Sie wird zum Lebenssinn im eigentlichen Sinn. Dem entspricht, was er eines Tages — im August 1806 — gegenüber dem Freund Rühle von Lilienstern äußert: „Wär ich zu etwas anderem brauchbar, so würde ich es von Herzen gern ergreifen:

---

[19] Hierzu Roy Pascal: Ein Traum, was sonst? — Zur Interpretation des „Prinz Friedrich von Homburg", in: Formenwandel. Festschrift für Paul Böckmann. Hamburg 1964, S. 351—362.

ich dichte bloß, weil ich es nicht lassen kann" (II/769). Ähnlich gegenüber dem
Verleger Cotta: „Wenn ich *dichten* kann, d. h. wenn ich mit jedem Werke,
das ich schreibe, so viel erwerben kann, als ich notdürftig brauche, um ein
zweites zu schreiben; so sind alle meine Ansprüche an dieses Leben erfüllt"
(II/814). Das Leben wird aufgegeben in dem Augenblick, in dem das Vertrauen
in die eigene Dichtung schwindet — mit der Erwägung, „die Kunst vielleicht
auf ein Jahr oder länger ruhen [zu] lassen." Das ist denn auch geschehen,
freilich sehr anders, als es sich hier andeutet. Doch widerlegen die Schüsse am
Wannsee nicht das Vertrauen, das in sie gesetzt worden war: denn diesem
Vertrauen in die eigene Kunst, solange es bewahrt wurde, haben wir das einzig-
artige Kunst-Werk zu danken, das bis zum heutigen Tage auf das lebendigste
fortwirkt. Im Ausmaß seiner Wirkungen ist es nur mit denjenigen Hölderlins
vergleichbar. Zwar war Kleist nicht in gleicher Weise wie dieser dem 19. Jahr-
hundert ein unbekannter Autor. Aber mit einer Art Wiederentdeckung zu
Beginn unseres Jahrhunderts haben wir es auch in seinem Fall zu tun. Die
Bekenntnisse moderner Schriftsteller zu ihm sind zahlreich. Wedekind, Georg
Kaiser, Rilke, Döblin, Thomas Mann oder Kafka sind vor anderen zu nennen.[20]
Diese Modernität, die keine zeitlose ist, hat ihrerseits einen Zug zum Rätsel-
haften, um einen letzten Gesichtspunkt unseres Themas zur Sprache zu bringen.
Aber etwas gänzlich Unerklärliches ist die Modernität Kleists keineswegs.
Mehrere Gründe seines ungebrochenen Fortwirkens sind anzuführen. Zwei
dieser Gesichtspunkte seien abschließend genannt.

Dieser zum Dichter gewordene Junker aus altpreußischem Adelsgeschlecht
hatte einen ausgeprägten Sinn für Zeitwende und Zeitwandel. Er hat die revo-
lutionären Entwicklungen seiner Zeit mit Bewußtsein erlebt. Schon im Brief
aus dem Jahre 1799, der sein Ausscheiden aus dem Militärdienst rechtfertigt,
ist davon die Rede: „Immer mehr erwärmt und begünstigt mein Herz den
Entschluß, den ich um keinen Preis der Könige mehr aufgeben möchte [...]
daß es wenigstens weise und ratsam sei, in dieser wandelbaren Zeit so wenig
wie möglich an die Ordnung der Dinge zu knüpfen" (II/485). Die wandelbare
Ordnung der Dinge bringt Leiden an der Zeit und an der Gesellschaft mit sich,
die Kleist sehr früh an sich erfährt.[21] Er hat an seiner Gesellschaft gelitten, wie
nur ein Dichter leiden kann. Aber wir werden uns hüten, sie deshalb in Acht
und Bann zu tun. Denn es könnte ja sein, daß es die Gesellschaft gar nicht gibt,
an der Dichter nicht leiden, wenn sie denn Dichter sind. Dennoch ist es kein
zeitloses Leid, mit dem wir es zu tun haben; und wenigstens seit den Zeiten

---

[20] Eine Sammlung solcher Zeugnisse, in der das 20. Jahrhundert mit gut der Hälfte
aller Beiträge vertreten ist, hat Peter Goldammer zusammengestellt: Schriftsteller über
Kleist. Eine Dokumentation. Berlin und Weimar 1976.
[21] Die Erfahrung von der wandelbaren Zeit hat Heinz Ide seinem Buch als Zitat
beigefügt: Der junge Kleist „... in dieser wandelbaren Zeit ...". Würzburg 1962.

Kleists haben die Spannungen zwischen Gesellschaft und Individuum an Schärfe gewonnen. Daher sind die Krisen dieses Dichters nicht einfach die Krisen eines Einzelnen. Es sind am wenigsten individualpsychologische Vorkommnisse, die den Historiker nichts angehen. Alle diese Krisen sind nur interpretierbar aus dem Kontext der Zeit, in der sie entstanden. So auch stellt es Kleist in seiner Dichtung dar: Seelenkunde und Gesellschaftskritik sind aufeinander zu beziehen. Die Gedanken des *Marionettentheaters* und die politischen Ziele der vaterländischen Dramen sind als Einheit aufzufassen. Kleists Krisen sind nicht etwas neben dem Werk. Sie sind ein Teil seines Werks. Sie haben ihn in den ersten Phasen ihres Auftretens fast aus der Bahn geworfen und ihn doch zugleich zum Dichter gemacht, so daß man mit Heinz Politzer sagen kann: daß die Reise nach Würzburg „die Ausgangsstation eines Passionsweges [war], der von Krise zu Krise in ein Schöpfertum von einzigartigem Rang führte".[22]

Ein weiterer Gesichtspunkt, der die Modernität Kleists begreiflich erscheinen läßt, betrifft das philosophierende Zeitalter, wie es Schiller genannt hat; das Zeitalter der exakten Naturwissenschaft, wie es Kleist noch in seinen Anfängen kennenlernte; das technische Zeitalter, wie wir es heute bezeichnen. Daß Kleist als Naturwissenschaftler beginnt um Dichter zu werden, ist kein Einzelfall, sondern ein Fall von symptomatischer Bedeutung. Er beruht, um es in den Bildern und Begriffen Kleists zu umschreiben, in der ihm eigenen Blickwendung von der Schwerkraft (der Physik) zur Schwerelosigkeit (der Seelenkunde). Die Rätsel des Seelenlebens sind das eigentliche Feld dieses Dichters geworden, das Feld seiner „Entdeckungen im Gebiete der Kunst".[23] Daher ist es kein Zufall, daß er diejenige Einstellung mit seinem Werk wie mit seiner Biographie vorwegnimmt, die eine der Grundlagen aller Humanwissenschaften geworden und geblieben ist: keine andere als diejenige des Verstehens. Sie ist zugleich eine Voraussetzung aller Kommunikation, wenn sie gelingen soll; und es sieht ganz so aus, als seien diesem Dichter, eben weil er ein Dichter war, die Naturwissenschaften auch wegen ihrer erschwerten Kommunikationsmöglichkeit zum Problem geworden. Ein früher Brief deutet es an: „Aber wenn ich einen mathematischen Lehrsatz ergründet habe [...] wenn ich mit diesem Eindruck in die Gesellschaft trete, wer versteht mich?" (II/498). Gegenüber der Mathematik ermöglichen Kunst und Literatur ohne Frage eine größere Breite der Verständigung und des Verstehens. In dem Maße, in dem Kleist als Dichter verstanden wird, sieht er sich ermutigt; und in dem Maße in dem man ihn nicht versteht, wird er hellhörig für Vorurteile aller Art. Aber verstanden zu

---

[22] Auf der Suche nach Identität, S. 221.
[23] Die Wendung von der gewissen „Entdeckung im Gebiete der Kunst" findet sich in einem Brief Kleists an die Schwester (II/733); vgl. hierzu Lawrence Ryan: Kleists ,Entdeckung im Gebiete der Kunst': ,Robert Guiskard' und die Folgen, in: Gestaltungsgeschichte und Gesellschaftsgeschichte, hg. von H. Kreuzer. Stuttgart 1969, S. 242—264.

werden, bedeutet ihm Glück schlechthin. So wird es am Anfang seines schriftstellerischen Werdegangs in einem Brief zum Ausdruck gebracht: „Ach, ich kann Dir nicht beschreiben, wie wohl es mir tut, einmal jemandem, der mich versteht, mein Innerstes zu öffnen" (II/633). So am Ende seines Weges, in einem Brief an die wohl verstehendste Frau, der er je begegnet ist, an Marie von Kleist. Es geht um den Brief, den wir eingangs zitierten: schon das Tageslicht tue ihm weh, wenn er die Nase aus dem Fenster stecke. Kleist fährt fort: „Das wird mancher für Krankheit und überspannt halten, nicht aber du, die fähig ist, die Welt noch aus andern Standpunkten zu betrachten als aus dem Deinigen" (II/883). Und was wäre in seinem Sinne wohl mehr zu wünschen, als eben dieses: daß wir fähig sind, die Welt noch aus anderen Standpunkten zu betrachten als nur aus den unseren!

DIE KLEIST-REZEPTION IN FRANKREICH

von Pierre Bertaux

Hier wird weniger von Kleist selbst, als von der Rezeption Kleists in Frankreich die Rede sein, und noch weniger von dieser, als allgemein von der fehlenden oder verfehlten kulturellen Kommunikation zwischen Deutschland und Frankreich — ein aktuelles, ja brennendes Thema.

Wie funktioniert denn die Vermittlung auf kulturellem Gebiet zwischen Deutschland und Frankreich?

Nicht zuletzt am Falle der Kleist-Rezeption in Frankreich muß man feststellen, daß es trotz aller wohlmeinenden Bemühungen damit recht schlecht bestellt ist. Zum Verzweifeln schlecht; doch verzweifeln soll man nie.

Warum das so ist, wie dem abgeholfen werden kann oder könnte, das ist eine andere Frage, die heute nicht gestellt werden soll.

Der Fall Kleist ist in dieser Hinsicht einer der beispielhaften Fälle von Mißverständnissen zwischen deutschem und französischem Sprach- und Kulturgebiet.

Daß ich über Kleist selbst wenig sagen werde, ist aus zwei Gründen verständlich:

Der erste Grund ist, daß ich selbst kein Kleist-Forscher bin. Als Hölderlin-Forscher kann ich mir wohl erlauben, in Tübingen oder in Homburg vor der Hölderlin-Gesellschaft einiges über Hölderlin zu sagen, das nicht ganz fehl am Platz ist — doch in der Mark Brandenburg vor der Kleist-Gesellschaft von Kleist zu reden, wäre ein gewagtes Stück.

Der zweite Grund ist, daß eigentlich mein Freund und Kollege an der Sorbonne, der französische Kleist-Forscher Roger Ayrault, hier und heute abend als der Berufene hätte sprechen sollen. Doch Vorträge halten, das tut Roger Ayrault nicht: was er zu sagen hat, schreibt er lieber. Schwarz auf weiß steht es dann da, den eventuell Neugierigen zur Verfügung. Ob es auch mal gelesen wird, geht ihn schon nicht mehr an.

Es trifft sich aber, daß Roger Ayraults 1933, vor 44 Jahren in französischer Sprache erschienene, vor einigen Jahren in ergänzter Fassung neugedruckte monumentale Kleist-Monographie den Deutschen, ja selbst den deutschen Kleist-Forschern unbekannt, zumindest von ihnen unberücksichtigt geblieben ist. Der Grund dafür ist wohl in erster Linie, daß Roger Ayrault französisch schreibt — wer unter den deutschen Kleist-Forschern liest denn Französisch — und daß Ayraults Werk nicht übersetzt wurde. Warum nicht übersetzt? Weil man es wohl in Deutschland nicht für nützlich erachtet, dem Standpunkt eines Franzosen über deutsches Kulturgut Aufmerksamkeit zu schenken oder ihn einfach zur Kenntnis zu nehmen. In Deutschland habe ich, übrigens zu meiner Belustigung, öfters den Unterschied, den man hierzulande zwischen einem deutschen und einem französischen Professor macht, zu verspüren bekommen: ein deutscher Professor ist ein Professor; ein französischer Professor ist ein Franzose — und wird als solcher kaum ernst genommen. Deutsche Kultur ist deutsches Gut, sie wird am besten von deutschen Händen betreut und verwaltet.

Es ist dem Zufall zu verdanken — oder der Zufall ist dafür verantwortlich — daß aus mir kein Kleist-Forscher geworden ist. Mit siebzehn Jahren, als ich Deutsch lernte, war ich schon ein Kleist-Verehrer. Als Student war ich von Kleists Erzählungen und von einigen seiner Abhandlungen ganz begeistert. Meine alte Kleist-Ausgabe trägt manche Spuren meiner damaligen Bearbeitung der Kleistschen Texte; dies in einer Zeit, wo ich Hölderlin nur dem Namen nach kannte.

Aber Roger Ayrault, ein paar Jahre älter als ich, hatte schon Kleist in Pacht genommen, und ich mußte mich nach einem anderen Forschungsgebiet umsehen. So kam ich auf Hölderlin. Ich habe es nicht zu bereuen gehabt.

Ich kann mich noch an den Nachmittag erinnern, wo Ayrault mit seiner Kleist-Arbeit an der Sorbonne promovierte. Das war gerade am 30. Juni 1934. Ich war eben mit dem Nachtzug aus Deutschland zurückgekehrt und hatte gespürt, daß in Deutschland etwas Unheimliches im Gange war, das ich nicht verstand. Im Laufe des Nachmittags sickerten in der Sorbonne die ersten Nachrichten aus Deutschland durch: Putsch in Deutschland, Röhm und Schleicher ermordet, von Papen verschwunden...

Die grundlegende, umfassende Arbeit von Roger Ayrault war in Frankreich die allererste wissenschaftliche Untersuchung über Kleist. Aber sie war auch der deutschen Forschung gegenüber völlig originell und ist in manchem heute noch nicht überholt.

Auch später wurde in Frankreich über Heinrich von Kleist wenig geschrieben; eigentlich nichts, wenn man von zwei allerdings guten, klugen, sensiblen, doch weniger eingehenden Studien von Marthe Robert und von Jacques Brun (*L'univers tragique de Kleist*, Paris 1966) absieht.

31

Der einzige deutsche Forscher, der sich auf Roger Ayraults grundlegende Arbeit bezieht und eine eingehende Kenntnis davon verrät, ist — meines Wissens — Hans Joachim Kreutzer, *Die dichterische Entwicklung Heinrichs von Kleist*, 1964—1967. Im Kapitel über die Kleist-Forschung schreibt Kreutzer:

„Die deutsche Forschung nahm von Ayraults Veröffentlichung kaum Notiz" (S. 31). Diese habe, sagt er weiter, „in Deutschland praktisch keine Resonanz gefunden, sehr zum Schaden der deutschen Kleistforschung".

Dies ist aber um so erstaunlicher, ja befremdender, als Kleist selbst der französischen Kultur seiner Zeit sehr verpflichtet war, worauf wir hier nicht einzugehen brauchen.

Als Dramatiker verdankt er, neben Shakespeare und Sophokles, doch so manches Molière und Rousseau. Als er die allmähliche Verfertigung der Gedanken beim Reden bahnbrechend analysierte, holte er seine Beispiele aus La Fontaine und Mirabeau. Die „Geschichte eines merkwürdigen Zweikampfs" entlehnte er dem Chronisten Froissart, den er anscheinend gelesen hatte. Toussaint-Louverture aus Sankt-Domingo gehört zur französischen Tradition. Der „neue, glücklichere Werther" in Kleists kurzer Erzählung ist ein Franzose.

Kleist las regelmäßig, wenn auch kritisch, die französischen Zeitungen, den *Moniteur*, das *Journal de l'Empire*. Dieser Lektüre entnimmt er die „Grundsätze des Talleyrand", wie er sie nennt, als satirisches Lehrbuch der französischen Journalistik. Einer dieser Grundsätze heißt: „Was man dem Volk dreimal sagt, hält das Volk für wahr."

Der Satz gilt noch immer in der Presse, ist wohl aber heute nicht mehr ausschließlich auf die französische Presse verwendbar.

Das Thema vom *Zerbrochenen Krug* ist einem Bild von Philippe Debucourt, *peintre du Roi*, von Le Veau gestochen, entnommen.

Doch handelt es sich zur Zeit Kleists bei solchen entlehnten Inspirationen nicht um das, was man heute kulturellen Austausch oder kulturelle Vermittlung nennen würde.

Damals war Paris wohl einerseits die Hauptstadt Frankreichs, doch andererseits d i e Stätte des europäischen Kosmopolitismus. Nicht alle Pariser, ja vielleicht die wenigsten Pariser — wenn man damit die Pariser Gesellschaft meint, le Tout-Paris — waren Franzosen. Ein berühmter „Pariser", der Italiener Abbé Galiani, nannte Paris „das Kaffeehaus Europas". Da, in Paris, begegnete man europäischen Philosophen, Dichtern, Wissenschaftlern, Schauspielern: Engländern wie Hume, Sterne, Priestley, Garrick, Italienern wie

Beccaria und Galiani, dem Amerikaner Benjamin Franklin, der in Paris eine zeitlang ansässig war, Deutschen wie dem Kurfürsten und Erzbischof von Mainz Freiherr von Dalberg. In Paris diskutierte Baron von Grimm aus Regensburg mit Rousseau aus Genf über deutsche und italienische Musik, Gluck und Lully. Treffpunkt der ganzen Welt war in Paris der Salon von Baron d'Holbach, einem reichen Deutschen aus der Pfalz, in Edesheim bei Landau geboren. D'Holbach war nicht nur als Gastgeber tätig, er wurde auch zum Hauptträger und Hauptmitarbeiter des ungeheuren Unternehmens und geistigen Monuments der Aufklärung, der Encyclopédie. In der Zeit, wo Kleist einige Monate in Paris verbrachte, lebten vielleicht 40 000 Deutsche in der französischen Hauptstadt; dreißig Jahre später waren es etwa das Doppelte. Mehr Deutsche in Paris als in Tübingen, Weimar oder Göttingen!

Doch wie stand es damals mit der deutschen Literatur? Zur Zeit Kleists war die als solche anerkannte deutsche Literatur nicht älter als es heute die Gruppe 47 ist, das heißt, sie war dreißig Jahre alt. 1774, zwei Jahre vor Kleists Geburt, hatte das deutsche Schrifttum mit dem *Werther* seinen triumphalen Einzug in die Weltliteratur gehalten. Noch einige Jahre danach, etwa 1780, meinte Friedrich II, König von Preußen, es gebe noch keine deutsche Literatur, und es könne noch lange keine geben, so sehr er sie auch herbeiwünsche. „Einmal werden wir unsere Klassiker haben. Jeder wird sie lesen, um von ihnen zu lernen. Unsre Nachbarn werden Deutsch lernen. Die Höfe werden mit Vergnügen Deutsch sprechen, und es kann geschehen, daß unsre geschliffene und vervollkommnete Sprache sich dank unsrer guten Schriftsteller von einem Ende Europas zum andern verbreitet. Diese schönen Tage unsrer Literatur sind noch nicht gekommen, aber sie nahen. Ich künde sie Ihnen an, sie stehen dicht bevor. Ich werde sie nicht mehr sehen. Mein Alter raubt mir die Hoffnung darauf. Ich bin wie Moses: ich sehe das gelobte Land von ferne, aber ich werde es nicht betreten."

So sprach der alte Fritz in Berlin vor genau zweihundert Jahren.

Doch gerade zu Kleists Zeit, im ersten Jahrzehnt des 19. Jahrhunderts, ereignete sich auf dem Gebiet der kulturellen Vermittlung ein kulturgeschichtlich ziemlich einzigartiges Phänomen, das für fast ein Jahrhundert die kulturellen Beziehungen zwischen Deutschland und Frankreich prägte, und leider nicht zum besten: das Erscheinen des Buchs von Madame de Staël, *De l'Allemagne*, eine Beschreibung der deutschen Literatur, der deutschen Kunst, der deutschen Gesellschaft — mehr Reportage als eingehende Analyse, mehr Kolportage als methodische Untersuchung.

Daß die von Madame de Staël servierte Darstellung des deutschen Wesens falsch und irreleitend gewesen ist, hat die andauerndsten, die schlimmsten, die fatalsten Folgen gezeigt.

Es muß gesagt werden, daß selten in der Weltgeschichte ein Volk — zumindest seine Intelligentia — ein anderes, benachbartes, verwandtes Volk so geliebt hat, wie zwischen 1815 und 1870 die Franzosen die Deutschen geliebt haben. Eine unglückliche Liebe, die nicht gut ausging, weil sie auf einem Mißverständnis beruhte. Ein Liebeswahn ohnegleichen, eine süße Träumerei, aus der die Franzosen plötzlich im Schreck erwachten, als der preußisch-französische Krieg von 1870 ausbrach. Ein Schreck, den wir in Frankreich noch nicht ganz überwunden haben. Sechzig Jahre lang hatten wir in Frankreich das Bild eines romantischen, sentimentalen, gutmütigen, in lieblicher Bläue dahinträumenden Deutschland gepflegt, und hatten nicht gemerkt, daß, wenn es je ein solches gegeben haben sollte, inzwischen jenseits des Rheins eine Mutation vor sich ging: Zollverein, Industrialisierung, Verpreußung — Bismarck usw. Von dem allen nahm man in Frankreich keine Notiz.

Daran ist aber Madame de Staël zum großen Teil schuld.

Was hat das mit Kleist zu tun? Nichts, überhaupt nichts — und doch nicht wenig: Madame de Staël erwähnt Kleist kein einziges Mal und gerade dies ist von Bedeutung.

Madame de Staël, geborene Necker, war die Tochter des Finanzministers von Louis XVI. Necker, als Genfer geboren, war der Sohn eines Brandenburgers. Die appetitliche, geistreiche, kultivierte mondäne Tochter des Bankiers hatte als Pariserin Romane geschrieben, die einen gewissen Erfolg hatten. Doch als liberal Gesinnte geriet sie in politischen und persönlichen Konflikt mit Kaiser Napoleon.

Man erzählte damals in Paris zwei Anekdoten. Als sie von General Buonaparte gehört hatte, er sei *„intelligent"*, geistig begabt, fragte sie: *„est-il aussi intelligent que moi?"* — ist er so begabt wie ich es bin?

Als sie später dem Kaiser Napoleon vorgestellt wurde, schaute sich dieser, der die erste Anekdote wohl kannte, die Dame mit üppiger, schwellender Brust an und sagte: *„je vois, Madame, vous nourrissez vous-même, c'est très bien, ça"* — ich sehe, sie stillen selbst, ganz nach Rousseau, das ist richtig, sehr richtig.

Madame de Staël beschloß, eine Reisebeschreibung in deutschem Lande als Pamphlet gegen das napoleonische Regime zu verfassen. Zweimal — nur zweimal — reiste sie nach Deutschland; das erste Mal zwischen November 1803 und April 1804, nachdem sie übrigens ihrem Vater am 19. November 1803 geschrieben hatte: *„je déteste l'Allemagne"*, — ich kann Deutschland nicht ausstehen. Sie besuchte Weimar — Wieland, Schiller, Goethe, der sehr zurückhaltend bleibt — und Berlin, wo sie August Wilhelm Schlegel, Fichte, Kotzebue und Iffland begegnete und am Hofe sehr höflich empfangen wurde. Im Ganzen enttäuscht, kehrte sie in die Schweiz zurück. Das zweite Mal verbrachte sie

Ende 1807, Anfang 1808 ein paar Wochen lang in Österreich und Süddeutschland: in München, wo sie mit Schelling zusammenkam, in Wien, wo sie Schlegel hörte, in Teplitz, wo sie Gentz begegnete, in Dresden, Frankfurt, Weimar, wo sich die Türen vor ihr verschlossen. Dann kehrte sie zurück zu ihrem Schloß Coppet in der Schweiz, wo sie die schöngeistige Opposition Mitteleuropas gegen Napoleon um sich sammelte: Benjamin Constant, August Wilhelm Schlegel, Zacharias Werner usw.

Das Buch *De l'Allemagne*, als Pamphlet gegen das napoleonische Frankreich konzipiert, wurde 1810 in Frankreich gedruckt, doch von der französischen Polizei verboten, beschlagnahmt und die 10 000 Exemplare zerstampft, sie selbst aus Frankreich ausgewiesen. Erst 1815, nach dem Sturz Napoleons, wurde das Werk veröffentlicht. Dann aber hatte es einen reißenden und andauernden, einen leider bahnbrechenden Erfolg. In den darauffolgenden fünfzig Jahren wurde Deutschland, das von ihr beschriebene Deutschland, in Frankreich populär. Die Reise nach Deutschland wurde zur obligaten Tradition der leitenden französischen Intellektuellen. Victor Cousin entdeckte Hegel und las begeistert über ihn im Collège de France, Edgar Quinet machte sich in Heidelberg ansässig und heiratete die Tochter eines deutschen Professors. Michelet, Victor Hugo, Gérard de Nerval, Alexandre Dumas, Lamartine, Musset, Sainte Beuve und viele andere folgten Madame de Staël auf den Spuren. Hippolyte Taine hielt sich in Deutschland dreimal auf, 1858, 1869 und ein letztes Mal 1870, ein paar Wochen vor dem Blitz aus heiterem Himmel, dem Ausbruch des Kriegs zwischen Preußen und Frankreich.

Leider sahen die Reisenden in Deutschland nur das, was sie zu sehen erwarteten, nur das, was sie sehen wollten, und sonst nichts. Ihnen sollte das gewohnte, das vertraute, das geliebte Deutschlandbild nur bestätigt werden: mittelalterliche Burgen am Rhein, Fachwerkhäuser in Schwaben, dunkle Urwälder in Thüringen, hochgelehrte Professoren in Göttingen und ihre blonden sentimentalen Töchter, alle Gretchen mit langem geflochtenen Haar und blauen Augen — Deutschland, das Land der Seele, die Heimat der Denker und Dichter, nichts als Gemüt und Gesang — überall leuchtet und duftet die blaue Blume...

Die Verblendung schlägt ins Groteske, wenn ein Historiker wie Michelet, der gute Jules Michelet, nach einer Begegnung mit Ludwig Uhland diesen beschreibt — Uhland, wie wir wissen, ein feiner, raffinierter, eleganter Mensch, Professor in Tübingen, von dem Heinrich Heine sagte, daß er statt Stiefel mit goldenen Sporen nur Schuhe mit seidenen Strümpfen, und auf dem Haupte statt eines Helms nur einen Tübinger Doktorhut getragen habe — Uhland, der ein glattes Kinn und eine Glatze hatte — denselben Uhland beschreibt Michelet als den deutschen romantischen Dichter par excellence, nämlich als einen gewaltigen, urwüchsigen, vierschrötigen Germanen mit wildem wallendem Bart- und Haarwuchs, schnaubend wie ein Eber im Schwarzwald, blaue, wilde Augen im rötlich-sanguinischen Gesicht: eine Karikatur im Asterix-Stil. Da bleibt man völlig ratlos. Was ist da passiert? Ist vielleicht Michelet einer Mystifikation Tübinger Studenten zum Opfer gefallen? Anscheinend doch nicht, da gewisse Details darauf hinweisen, daß doch Michelet Uhland persönlich begegnet ist. Nein, Michelet hat nur das gesehen, was er zu sehen erwartete — kein vereinzelter Fall — wie es vor ihm Madame de Staël getan hatte.

Vorsichtig, höchst vorsichtig, hat sich zwanzig Jahre später Heinrich Heine von der berühmten Dame in seiner *Romantischen Schule* distanziert. Sein erster Satz lautet:

„Frau von Staëls Werk *De l'Allemagne* ist die einzige umfassende Kunde, welche die Franzosen über das geistige Leben Deutschlands erhalten haben."

Heine kündigt seine *Romantische Schule* gleichsam als Fortsetzung von Frau von Staël, „glorreichen Andenkens", an, doch bezeichnet er ihr Buch als Koteriebuch, in manchem „kläglich und ungenießbar".

„Ihr Buch *de l'Allemagne* gleicht der *Germania* des Tacitus, der (...) durch seine Apologie der Deutschen eine indirekte Satire gegen seine Landsleute schreiben wollte."

Den Zusammenhang mit Kleist habe ich schon erwähnt: es fällt auf, daß bei Madame de Staël der Name Heinrich von Kleist nicht einmal erwähnt wird. (Übrigens, die Namen Novalis und Hölderlin werden bei ihr ebenfalls nicht genannt.)

Es hätte sein können, daß Madame de Staël keine Gelegenheit gehabt hätte, von Kleist zu hören, und sie dann aus reinem Zufall an ihm einfach vorbeigegangen wäre. Dies ist aber nicht der Fall. Sie ist ihm wohl in Berlin begegnet; sie hat höchstwahrscheinlich einen anonymen Aufsatz für Kleists Zeitschrift *Phöbus* verfaßt.

Nein, Frau von Staël hat Kleist wissentlich und willentlich übersehen und ignoriert. Er paßte ihr nicht ins Konzept. Mit Kleist wußte sie nichts anzufangen.

Die deutschen Dramatiker der Zeit, auf die sie große Stücke hält, denen sie viele Seiten widmet und die sie für die einzigen würdigen Erben Schillers hält, diejenigen, die sie den Franzosen als Modelle, als Objekte des Kulturaustausches entgegenhält und anbietet, heißen Kotzebue, Zacharias Werner, Iffland. Es fehlt nur noch Raupach.

Von Goethes *Wilhelm Meister* meint sie, der Roman enthalte einiges nicht ganz Uninteressantes, doch abgesehen von der Mignon-Episode sei das Buch weder fesselnd noch von Bedeutung. Die *Wahlverwandtschaften* findet sie langweilig, weil sie dem Leben zu ähnlich sind, weil ihnen sowohl der moralische Anspruch wie die religiöse Erhabenheit fehlen. Sie sind nicht dazu angetan, die Jugend zu begeistern und zu hohen Taten zu inspirieren.

Dagegen weiß sie die Romane von August Lafontaine zu preisen, die „jeder mit großem Vergnügen zumindest einmal lesen wird".

Mozart wird als *„ingénieux"*, erfindungsreich, in ein paar Zeilen erledigt. Leibniz ist ihr zu abstrakt; in seinen Werken fehlt es an Phantasie und Empfindsamkeit; es sei doch ab und zu Emotion, Rührung, nötig, um sich vom strengen und anstrengenden Denken zu erholen.

Einfach niederschmetternd, was sich die leichtsinnige Dame da alles leistet. Erschütternder ist es doch, zu bedenken, daß Madame de Staël dem französischen Verständnis vom deutschen Wesen für ein dreiviertel Jahrhundert die Weichen gestellt hat.

Eine große, eine ungeheure Verantwortung — vielleicht noch schlimmer als die Napoleons in seinem korsischen Unverständnis den Deutschen gegenüber. Man kennt die Anekdote: ein deutscher Erfinder hatte es erreicht, dem Kaiser ein neues System der Nachrichtenübertragung vorführen zu dürfen: über einen Kupferdraht, mittels galvanischen Einflusses, wurden Impulse weitergeleitet. Es war die erste Idee des elektrischen Telegraphs. Das Experiment wollte nicht recht gelingen. Der Deutsche und seine Erfindung wurden sofort von Napoleon verabschiedet mit den Worten: *„encore une invention allemande!"* — nicht erstaunlich, daß es nicht funktioniert, eine deutsche Erfindung!

Napoleon war überzeugt und sagte es laut, die Deutschen seien das unkriegerischste, ruhigste, friedfertigste Volk der Weltgeschichte: militärisch nichts taugend, technisch unbrauchbar.

Die Staël-Affäre kann als erste Episode eines gezielten, bewußten, methodisch angelegten, organisierten Kulturaustausches zwischen Deutschland und Frankreich gelten. Ein abschreckendes Beispiel! Damit will ich niemandem den Mut nehmen, aber ich möchte feststellen, daß der kulturelle Austausch keineswegs eine einfache, eine unverfängliche Sache ist, die quantitativ zu bewerkstelligen sei nach dem Grundsatz: „je mehr, um so besser". Nein, so harmlos ist die Sache nicht. Auf Qualität kommt es auch an.

Zurück zu Kleist. Kleist wurde nicht nur von Madame de Staël und ihren unmittelbaren Nachfolgern, sondern bis zu Roger Ayrault in Frankreich praktisch ignoriert.

1859 widmete ihm Saint René Taillandier einen Artikel in der *Revue des Deux Mondes*.

1894 widmete ihm ein gewisser Bonafous eine Doktorarbeit, die keine Spuren hinterlassen hat.

1931 kam in einer Reihe Biographien bei Gallimard eine unbedeutende *Vie de Kleist* von G. und E. Romieu heraus.

Erst 1930 wurde Kleist ins Französische übersetzt, zuerst das dramatische Werk: der *Prinz von Homburg*, dann die *Hermannschlacht, Penthesilea*, der *Zerbrochene Krug*.

Kurz vor 1939 hatte sich Jean Giraudoux für Kleist interessiert, wahrscheinlich nachdem er die Übersetzungen in Händen gehabt hatte. Seit dem Ersten Weltkrieg, seit *Siegfried et le Limousin*, hatte Giraudoux der deuschen Geisteswelt ein gewisses, wenn auch oberflächliches Verständnis entgegengebracht. Ohne es zu sagen, hatte er seinem Drama *Ondine* zwei Szenen aus dem *Käthchen von Heilbronn* einverleibt. Dann hatte er mit seinem Freund, dem genialen Schauspieler und Regisseur Louis Jouvet, erwogen, die *Penthesilea* und den *Zerbrochenen Krug* zu inszenieren. Der Zweite Weltkrieg brach aus, und daraus wurde vorläufig nichts.

Nach dem Zweiten Weltkrieg, 1951, hatte der Regisseur Jean Vilar in Avignon und im T.N.P. — *Théâtre National Populaire* — mit dem angeblich „romantischen" Drama Büchners, *Dantons Tod*, einen reißenden Erfolg gehabt. Vilar fragte seine Bekannten, ob sie ihm nicht etwa ein anderes ähnliches „romantisches" Drama zu empfehlen hätten, um den Büchner-Erfolg weiter auszuschlachten. Die Übersetzerin von Büchner, Marthe Robert, und ihr Mann, Arthur Adamov, empfahlen Kleists *Prinz von Homburg*, wie ihm auch von Lenz *Die Soldaten* ebenfalls als „romantisches Stück" empfohlen wurden.

1952 in Avignon machte der Schauspieler Gérard Philipe aus dem *Prinzen von Homburg* einen ungeheuren, einmaligen Bühnenerfolg. So kam Kleists Name zum ersten Mal in eine breitere französische Öffentlichkeit: als der Name eines deutschen Romantikers!

Dann übersetzte Arthur Adamov den *Zerbrochenen Krug* für Roger Planchon, der als Regisseur unter dem Einfluß der 1954 in Paris vom Berliner Ensemble erfolgreich gespielten Stücke stand.

Während der sechziger Jahre wurde in Paris das *Käthchen von Heilbronn* in einer Übersetzung von Paul Morand vom Dramatiker Jean Anouilh inszeniert.

Dann bat Jean Louis Barrault den Schriftsteller Julien Gracq um eine neue Übersetzung — ich glaube, die dritte — der *Penthesilea*, gab es aber auf, das

Stück zu inszenieren. Silvia Monfort machte später einen nicht gerade erfolgreichen Versuch damit.

Vor einem Jahr, 1976, wurde die *Penthesilea* von Michel Hermon zwar nicht in einem Theater, sondern in der *Cartoucherie de Vincennes,* einer ehemaligen Patronenfabrik im Pariser Vorort Vincennes, inszeniert. Der Theaterkritiker Guy Dumur erzählt begeistert davon: eine echte romantische Aufführung mit viel Stimmung, in der Scheune eines alten Schlosses, mit wirklichen Pferden in einem echten Stall, Achilles und Penthesilea dazwischen patrouillierend ... Warum auch nicht?

Auch hat der französische Filmregisseur Eric Rohmer mit seinem Film *Die Marquise von O....* Erfolg gehabt. Es ist aber nicht von der Hand zu weisen, daß beim französischen Publikum eine Verwechslung zwischen Kleists *Marquise von O....* und der *Madame d'O....,* der Heldin eines berühmten Porno-Romans, den man eine zeitlang Jean Paulhan, dann seiner Freundin zuschrieb, mitgespielt hat, was die Neugier angefacht hätte.

So steht es mit der Rezeption Kleists in Frankreich und mit seinem Erfolg. Erfolg ist wohl immer eine bedenkliche, zweifelhafte, verdächtige Angelegenheit — schon im Binnenkonsum geistiger Ware ist das der Fall, doch wie viel mehr im Exporthandel geistigen Guts!

Was bleibt am Ende im Gedächtnis eines nicht unkultivierten Franzosen haften, wenn man Kleists Namen vor ihm nennt? Es bleibt die Vorstellung eines „romantischen", exaltierten Dichters; ein paar Bilder, Gérard Philippe in weißem Gewand als der vom Blitz getroffene junge Held — dann Pferde, lebendige, in einer Scheune, einige dramatische Situationen. Ja, das auch, daß sich Kleist mit einer Freundin das Leben genommen hat. Echt romantisch!

Von Kleists Eigentum, von seinem Stil, ist nach Frankreich überhaupt nichts vermittelt worden. Doch was hat man von Kleist, wenn man an seiner Sprache vorbeigeht, nicht einmal ahnt, was daran ist?

Fast ist es mir lieber, wenn Giraudoux zwei Szenen Kleists übernimmt und heimlich in ein eigenes Stück einzuflechten weiß, ohne die Provenienz auch nur zu erwähnen: da wird wenigstens etwas echt Poetisches von einem echten Dichter hinübergenommen und weitergegeben. In den griechischen Tempeln gibt es das auch, daß ein paar Säulen einem früheren verschollenen Bau entlehnt wurden, ohne daß es zu beanstanden wäre; im Gegenteil, wir sind den Architekten dafür dankbar.

Was bewährt sich am Ende im Kulturgeschäft, sei es im Show-business, sei es in der Journalistik, sei es im Buchhandel? Was wird an Konsumware auf dem Markt verkauft und gekauft, exportiert und importiert? Was ist gefragte

Ware? Wohl in erster Instanz und mit dem besten Absatz das, was — wie sich Jean Améry ausdrückt — „einer zutiefst ungesunden Neugier oder Gier nach dem Kitzel des Ungewöhnlichen" entspricht, aber auch andererseits die alten abgegriffenen, doch noch immer unheilbringenden familiären Schablonen wieder wachruft und noch einmal aufflackern läßt. Hier: das Urdeutsche in seinem tragischen Exotismus.

Beispielhaft dafür ist die Rezeption Ernst Jüngers in Frankreich, oder der Erfolg von Michel Tournier, der mit seinem — übrigens rein literarisch gesehen guten — Roman *Le Roi des Aulnes,* der Erlenkönig, den Goncourt-Preis erhielt und zu einem Bestseller machte. Ich zitiere Jean Améry:

„Es war ein miserables Elaborat. Michel Tournier, übrigens Germanist (ich füge hinzu: eigentlich Sohn von Germanisten, also beiderseits erblich belastet! P. B.) ließ seine Arbeit vor dem Götterdämmerungsdekorum der Nazi-Ordensburgen in den Masuren abrollen. Er verarbeitete sämtliche Deutschland-Klischees, die seit Jahr und Tag in Frankreich gängig sind, nur freilich mit umgekehrten, genauer: mit ambivalenten Vorzeichen. Der Nazismus wurde ästhetisiert und ausgestattet mit einer Naturdämonie, die dem Franzosen wildfremd ist."

Ich erinnere daran: was die Franzosen vor hundertfünfzig Jahren am goetheschen Faust begeisterte, war der Mephistopheles, der als Teufel verstandene — oder richtiger mißverstandene — Mephistopheles, der dann aber in der französischen Literatur, Graphik und Musik ungehemmt weiterspukt und sein Unwesen treibt, von Generation zu Generation, von Gérard de Nerval, Eugène Delacroix, Berlioz und Gounod bis zu Paul Valéry.

Jean Améry zieht den ziemlich verzweifelten Schluß, daß in weitgehendem Ausmaß „Deutschland Frankreich ebenso mißversteht, wie dieses Deutschland. (...) Immer wieder sind es Mythen, herabgekommen auf Klischees letzter Ordnung, die den Platz verstellen, so daß man nichts erkennen kann. Man sucht im Nachbarland das Exotische, das Exzessive und Fremdartige, was immer es gerade sei, und gibt sich nicht die Mühe auszuforschen, ob man das wahre Antlitz des je anderen vor sich hat oder nur dessen Karikatur — wobei gleich anzufügen ist, daß Zerrbilder auch schmeichelhafte Züge haben können."

Auch hat sich neulich der seit 1945 zwischen Deutschland und Frankreich so tätige Mittler Alfred Grosser über den Erfolg seiner Bemühungen ziemlich pessimistisch ausgesprochen.

Wird mit dem sogenannten kulturellen Austausch der Situation irgendwie, sei es auch noch so wenig, abgeholfen? — darüber erheben sich nicht unberechtigte Zweifel.

Daß Rolf Liebermann die Pariser Oper leitete, daß Caspar David Friedrich in Paris mit Begeisterung aufgenommen wurde, daß Pierre Boulez sowohl in Mannheim als in Beaubourg zuhause ist, scheint z. B. bei den Franzosen ein richtiges Verständnis für Helmut Schmidts Probleme und für seine Politik kaum in die Wege geleitet zu haben.

Wer, was ist daran Schuld? Was sind die Ursachen, wie könnte man da Abhilfe schaffen?

Die Hauptursache ist Mangel an Kenntnis: an Sprachkenntnis, an historischer Kenntnis, an Bildung. Ich zitiere wieder einmal Jean Améry: „Das Mißverstehn ist zurückführbar auf Nichtverstehen, und dieses wieder auf Nichtwissen." „Deutschland und Frankreich müssen einander kennen auf ganz simple schulische Weise, ehe sie einander auf höherer Ebene zu erkennen versuchen. Ich sehe leider nicht, daß man hier und dort bereit ist, zu lernen, ehe man annimmt oder verwirft, ehe man redet und richtet."

Leider wird nur zu oft die sogenannte Kultur oder, sagen wir, was unter diesem Namen vertrieben wird, als billiger Ersatz für eingehende Kenntnis, welche Kritik erfordert und Mühe kostet, wie man glaubt preiswert, ja kostenlos erworben — z. B. dadurch, daß man ab und zu abends ins Theater geht oder einen *Roman à la mode* durchblättert.

Mit dem Erwerben von Kultur steht es wie mit einer ärztlichen Behandlung, die keineswegs einfach darin bestehen kann, daß man irgendwann x-beliebige Pillen in beliebiger Menge schluckt, wenn sie nur rosafarben sind und süß schmecken.

Auf der aktiven, nicht untätigen, nicht mühelosen Beteiligung des Rezipienten oder Konsumenten der jeweiligen kulturellen Aktivität beruht zuletzt der Erfolg der Vermittlung. Kultur ist nicht so billig zu haben, wie man allgemein glaubt.

Eingangs habe ich gesagt, das Thema sei ein aktuelles, ein heikles, ja ein brennendes Thema. Wie sehr ich recht hatte, wußte ich noch nicht, als ich zu Hause den Vortrag verfaßte.

Am Vorabend meiner Reise nach Berlin fiel mir ein Artikel der maßgeblichen Zeitung *Le Monde* in die Hände, aus der Feder des berühmten Theaterkritikers Michel Cournot. Der Titel sprang mir in die Augen: *Penthesilée, de Kleist*. Ein Verriß: eine Dame, sagt Michel Cournot, findet jeden Abend, zweieinhalb Stunden lang, ihr persönliches Gefallen daran, unter dem Namen der Kleistschen Amazonenkönigin ihre eigenen Seelenzustände mitzuteilen, unter Mitwirkung von 25 Schauspielern und von etlichen Zuschauern, die kaum soviel erwartet haben.

Doch bietet dies dem französischen Kritiker die Gelegenheit, mit der eigenen Kultur, mit dem eigenen Wissen um Kleist zu protzen und auch eine politische Anspielung zu machen. Kleist, sagt Michel Cournot, der Autor des Michael Kohlhaas, erweise sich als ein hellsehender Dichter und als unmittelbarer Vater der heutigen deutschen Terroristen, der Roten Armee Fraktion.

Ich muß gestehen, daß ich als Germanist wahrscheinlich von Kleist und von den heutigen deutschen Angelegenheiten zu viel weiß, um auf diese einfache Vorstellung oder Darstellung des mit Wissen unbelasteten Michel Cournot gekommen zu sein. Diese ungewohnte Idee müssen wir uns durch den Kopf gehen lassen. Vorläufig kann ich dem Kritiker Michel Cournot zur Neuigkeit des unerwarteten Einfalls nur gratulieren und sagen: himmlische, selige Einfalt!

AMBIVALENZ UND DISSOZIATION IN KLEISTS WERK

von Bernhard Böschenstein

Der letzte Satz der Erzählung *Die Marquise von O.* ... schließt bekanntlich mit den Worten: „... er würde ihr damals nicht wie ein Teufel erschienen sein, wenn er ihr nicht, bei seiner ersten Erscheinung, wie ein Engel vorgekommen wäre."[1] Der russische Graf F., um dessen Verhältnis zur Marquise es hier geht, war ihr als „ein Engel des Himmels"[2] erschienen, als sie den Mißhandlungen einer Rotte von Soldaten ausgeliefert war. Er befreite sie von ihren Vergewaltigungsversuchen, rettete sie aus den Flammen und führte sie in einen geschützten Raum. Ein Gedankenstrich steht für das, was nun geschah: die Vergewaltigung der bewußtlosen Marquise durch ihren Retter selber.

Der Schluß der Erzählung nimmt den Anfang in Gestalt eines Zitats wieder auf, mit dem Wort „Engel". Der Engel wird erst dann für die Marquise zum Teufel, wenn sie erfährt, daß gerade er sie vergewaltigt hat, er, der zuvor als ihr Retter ihr Engel war. Es gehört zu dem Eigentümlichen Kleists, daß der gleiche Mensch zwei so konträre Handlungen vollbringen kann, und zwar im gleichen Augenblick. Dies wird durch die himmlischen und höllischen Attribute besonders deutlich gemacht. Die Ambivalenz der Handlungsweise des Grafen führt zu der Dissoziation des Bildes, das sich die Marquise von ihm macht.

Dramatisch wird ein solcher Text dadurch, daß der Retter zunächst zum Engel erhöht wird — dank der inszenierten Situation mit ihren geballten Gefahren. Denn erst dadurch wird es möglich, daß er sich auch zum Teufel wandeln kann. Der Retter-Engel besetzt die zentrale Stelle im Erwartungshorizont der Marquise: er wird zum Bild des unbedingt Geliebten, der alle Verklärungs-, Heiligungs-, Anbetungswünsche auf sich versammelt. Aber er kann dies nur werden, weil die Umstände danach eingerichtet sind: Bedrohung des Lebens, sexuelle Gewalttaten, brennendes Haus, Krieg, jähes Auftauchen und sofortiges Scheiden des Retters. Die nachfolgende Geschichte ist unter anderem auch der Bericht der Sühne, die derjenige, der sich einer niedrigen Handlungsweise anklagen muß, nun zu leisten hat. Aber der springende Punkt dabei ist: alles, was sonst vom Grafen erzählt wird, zeigt nur mustergültige

---

[1] Sämtliche Kleist-Zitate nach der 6., ergänzten und revidierten Auflage der Ausgabe ‚Sämtlicher Werke und Briefe' von Helmut Sembdner, München 1977: II, 143.
[2] II, 105.

Gesinnung — mit der einen Ausnahme der Vergewaltigung. Dies aber muß bedeuten, daß dem Erzähler nicht als ausgemacht erscheint, daß die eine Tat wirklich gegen die durchgehende Vornehmheit dieser Gestalt verstößt. Weit eher läßt er eine fundamentale Unsicherheit darüber erkennen, ob diese Tat als ein Akt der Liebe oder ein Akt der Verworfenheit zu gelten habe. Oder wäre etwa eine Trennung beider Bewertungen gar nicht möglich, wäre sie nur ein Produkt starrer zeit- und standesgebundener Anschauungen?

Die Dissoziation in Engel und Teufel geschieht lediglich in der Psyche der Marquise, nicht in der Schilderung der gesamten Handlungsweise des Grafen, welche diese Dissoziation im Gegenteil aufhebt. Die Marquise verwendet in ihrem Empfinden und Sprechen ein Wertsystem, das schon zur Zeit der Entstehung des Werkes nicht mehr unangefochten gültig war.

Denn die Vokabeln „Engel" und „Teufel" sind Zeichen eines sprachlichen Notstands, sie deuten Sachverhalte an, für die es noch keine adäquate Benennung gibt. Und dieser Notstand ist vielleicht sogar mit-, ja hauptschuldig an der Radikalität der Dissoziation. Denn was die Marquise im Grafen erblickt, ist, vom Autor Kleist aus gesehen, nicht ein „Engel des Himmels", sondern eine moderne Entsprechung dazu. Der geistige Zustand um 1800, religionsfern trotz der religiösen Mode, hatte nur anachronistische Formen allgemeinster und geläufigster religiöser „Mythologie" als eine Art Leihgabe bewahrt, sie stammten aus dem Umkreis eines romantisierten und ästhetisierten Christentums — Formen, wie sie in denselben Jahren Goethe im 2. Teil der *Wahlverwandtschaften*, im Umkreis Ottiliens und des Architekten, ironisch verwendet. „Engel" und „Teufel" sind Marken für eine absolute Einschätzung des anderen, die ihren außermenschlichen Horizont, nämlich die göttliche Weltordnung, verloren hat. Da die Gottesstelle in den menschlichen Vorstellungen verblaßt ist, kann in der religionsgeschichtlichen Übergangszeit, in der wir uns hier befinden, das Bedürfnis nach einer Antwort auf den höchsten Anspruch nur durch einen geliebten Menschen erfüllt werden — und kann es zugleich nicht. Die Erfüllbarkeit ist im Universum Kleists immer nur an der Grenze von Leben und Tod angesiedelt: hier in der Zone äußerster Gefahr im Krieg. Die gleichzeitige Unerfüllbarkeit wird durch die gleichen Beweggründe, die die Erfüllbarkeit ermöglicht hatten, hervorgebracht: der gleiche Kriegszustand reizt den Grafen zum Akt der Vergewaltigung auf. In dieser Zone zwischen Leben und Tod verbleibt der Graf, wenn er danach freiwillig den Tod auf dem Schlachtfeld sucht. Die Engel-Teufel-Dissoziation findet sich wieder im geträumten Bild vom reinen Schwan, der mit Kot beworfen wird und auf feurigen Fluten schwimmt, dabei steht das Feuer, das ja bei der Rettung waltete, stellvertretend für den Zustand der Welt, in welchem allein eine Vergöttlichung wie die zum engelhaften Retter möglich ist. Zwischen der Anfangsvision des Engels und dem Anblick des Teufels am Tag, den die Pressenotiz angegeben hat, findet indessen der Besuch des Grafen zum Zweck der Heiratsverhandlung statt. In diesem Moment antwortet die Marquise, über ihren Eindruck befragt: „er gefällt und mißfällt mir".[3] Dies ist die Verbindung des Engelhaften mit dem Teuflischen in der Form der Ambivalenz.

Die Verkehrung des Engels in den Teufel wirft das Problem der Inkonsistenz der Verklärung und ihrer latenten Labilität auf. Wenn der vergöttlichte Geliebte menschengemäße Handlungen begeht, gerät er in die äußerste Gefahrenzone, wo ihm die Verwerfung droht. Denn von der Erhöhung gibt es keinen Weg zu einer mittleren Einschätzung. Die angedeutete Ambivalenz ist deren Gegenteil: sie ist das Oxymoron der auf unsichere, zweideutige Art überbrückten Antithese, die schließlich in der Dissoziation von Engel und Teufel deutlich auseinanderklaffen wird. Die Anbetung verkehrt sich denn auch am Schluß in furienhaften Wahnsinn, wie wir ihn aus der *Penthesilea* kennen. Nur Bilder wie das der Pestvergiftung sind ausreichend, um diesen negativen Zustand zu verdeutlichen. Die Marquise fühlt sich durch einen elementaren Vertrauensbruch hintergangen, ihre absolute Bewertung des Retters ist aufgehoben und damit ihre eigene Identität. Sie verläßt das Fundament, auf das sich ihre Verklärung gegründet hatte. Ein totenähnlicher Zustand, wie damals, als sie den Retter zum erstenmal sah, beraubt sie ihrer Übereinstimmung mit sich selbst.

Wie stets bei Kleist ist die Person in den entscheidenden Augenblicken des Geschehens außerhalb ihrer selbst. Das Beisichsein wird von Kleist nie geschildert. Die langen, glücklichen Ehejahre, die am Schluß angedeutet werden, füllen kaum einen halben Satz aus. Denn sie finden diesseits der Grenze zwischen Leben und Tod statt.

In der ganzen Zeit ihrer Schwangerschaft war die Marquise einer Situation ausgeliefert, die ihre Worte anzeigen: „Eher ... daß die Gräber befruchtet werden, und sich dem Schoße der Leichen eine Geburt entwickeln wird!"[4] Genau dies ist nun aber geschehen: die Gräfin ist als Leiche beschlafen worden, und die Geburt hat postumen Charakter. So erscheint denn auch das spätere Leben mit dem Grafen als ein postumes. Erst die Gestorbene kann, nach einer langen Trennung, das Leben eines liebenden Menschen führen. Die Frist zur Reinigung von der Engel-Teufel-Dissoziation ist als ein Ritual der Fremd- und Selbstbestrafung streng einzuhalten, ehe ein Leben innerhalb einer nicht als Dumpfheit verstandenen Normalität blühen kann. Dieses Leben aber verläßt schon den Rahmen des Erzählenswerten.

Die Engelserwartung mit der ihr inhärenten Tendenz zur Verteufelung ist die halb säkularisierte, mit Ruinen zurückliegender Religiosität sich ausstattende

---

[3] II, 117.
[4] II, 121.

Form der Ambivalenz, aus der das Kleistsche Drama seine Energien bezieht. In teils erhöhter, teils dämonisierter Gestalt überlebt das Bild des sterbenden Gottes im Menschen, mit dessen labilem Gefühl es verschmilzt. Die Marquise untersteht einem Strukturgesetz, das sie zwingt, die Gleichzeitigkeit beider Sehweisen in den Grenzsituationen zwischen Leben und Tod auf sich zu nehmen. Objektiv ist der Elan, der den Grafen zur hilfreichen Tat befähigt, eins mit dem Trieb zur sexuellen Handlung. Wie die Marquise dies zu akzeptieren lernt, wird indessen nicht im Medium der Reflexion, nur in der Lebenspraxis gezeigt. Der abrupte Schluß verschweigt die genauere Ausführung, weil Kleist zwar jeweils über das äußerste Leiden an der Dissoziation hinaus zur Einsicht in die Notwendigkeit ihrer Überwindung gelangt, diese aber nicht mehr zu gestalten vermag. Eine Begründung dafür liegt zweifellos in Kleists Zurückschrecken vor der Sexualität, das er beiden Protagonisten mitteilt.

Die hier dargestellte Struktur bestimmt so wichtige Werke wie *Amphitryon, Penthesilea, Das Käthchen von Heilbronn, Die Verlobung in St. Domingo*, den *Findling, Die heilige Cäcilie*. Von dieser Gruppe, in der ambivalente oder dissoziierte zwischenmenschliche Erfahrungen eine äußerste Spannweite bezeichnen, unterscheidet sich eine andere, die eine konstante Festigkeit und Treue gegenseitiger Liebe auf härteste gesellschaftlich-geschichtliche Probe stellt, ohne sie indessen letztlich beirren zu lassen. Dazu gehören *Die Familie Schroffenstein, Prinz Friedrich von Homburg, Das Erdbeben in Chili* und — trotz Littegardens Verzagtheit — *Der Zweikampf*. Hier gibt es Ambivalenz im Verhältnis der Außenwelt zu den Protagonisten, jedoch nicht oder nur eine Zeitlang innerhalb ihrer eigenen Liebesgemeinschaft. Die Betrachtung dieser zweiten Form von Ambivalenz würde indes die Grenzen meiner Untersuchung sprengen.

*

Bei der Analyse von Kleists *Amphitryon* kommt uns als präzise Hilfe der stetige Vergleich mit der Vorlage von Molière zustatten, aus der wir erfahren, wo Kleists eigenste Betroffenheit sich ausspricht. Eine besonders gewichtige Abweichung ist das zentrale Motiv der *Marquise von O. . . .*, die Engel-Teufel-Polarität. Kleist verändert seine französische Vorlage nämlich an zahlreichen Stellen nach der Richtung des Höllischen wie des Himmlischen hin.

Schon ganz zu Beginn des Dramas sagt Sosias, im Gegensatz zur Vorlage: „Aber wenn ich jetzt / Nicht bald mit meinem Hut an Theben stoße, / So will ich in den finstern Orkus fahren."[5] Dieser Höllenbereich ist in den Sosias-Merkur-Szenen stets als heimliche Bodenlosigkeit gegenwärtig, zwar vermummt in den burschikosen Redensarten, die plautinische Gewohnheiten aufgreifen, aber zugleich beim Wort zu nehmen. So erscheint Merkur dem Sosias als von

---

[5] I, 247, V. 11 ff.

der Hölle ausgeworfenes Monstrum: „es könnt entgeisternder mir nicht sein Anblick sein."[6] Diese verrückende, das Bewußtsein raubende, als untermenschlich empfundene Präsenz ist die komödiantische Gegenbewegung zur Verklärung und Vergöttlichung des geliebten Amphitryon, die Alkmene in den Begegnungen mit Jupiter erfährt. Wieder fehlt, wie in der *Marquise*, die mittlere Ebene der Beziehung von Mensch zu Mensch, auf der die Ehe von Alkmene mit Amphitryon situiert wäre, hätte sie wirklich statt. An ihre Stelle tritt die Dissoziation des Amphitryon in ein himmlisches und in ein höllisches Wesen. Weil Jupiter sich Alkmene als ein Amphitryon darstellt, der „um Sonnenferne" „überflügelt"[7], was ein Gatte vermag, weil er sich als das unergründliche I c h , „dies Wesen eigner Art"[8], ausgibt und in gewissem Sinne auch ausweist, ist nun der bisherige Gatte nicht mehr ein Mensch, sondern er ist, als er am Schluß neben seinem Rivalen steht, „von einer Höllennacht bedeckt".[9] Wie der Graf F. ist Jupiter beides zugleich: göttliches Wesen und Vergewaltiger. Diese Ambivalenz wird indes für Alkmene nicht zum Problem, weil die Dissoziation auf zwei Gestalten verteilt werden kann. Der Grund zu solcher Dissoziation ist aber derselbe wie in der *Marquise*: wo der Maßstab der himmlischen Verklärung gilt, wird vor ihm das Menschenmaß herabgewürdigt zum Teuflischen. Aber wiederum sind „Gott" und „Teufel" keine zeitgemäßen Kategorien, welche die Realität dieser Dissoziation treffen. Vielmehr gibt es für den Gott, wie er Alkmene erscheinen möchte, keine Bezeichnung als jenes graphisch erhöhte I c h , das sich als Wesen eigener Art bekennt. Damit wird in eine nicht objektivierbare subjektive Zone des Ausstrahlenden und der Empfangenden hineingeleuchtet. Diese Zone subjektiver Wahrnehmung kann, ohne Halt an beglaubigender Realität, sich nur auf sich selber verlassen und muß namenlos bleiben.

> . . . Eh will ich irren in mir selbst!
> Eh will ich dieses innerste Gefühl,
> Das ich am Mutterbusen eingesogen,
> Und das mir sagt, daß ich Alkmene bin,
> Für einen Parther oder Perser halten.[10]

> Nimm Aug und Ohr, Gefühl mir und Geruch,
> Mir alle Sinn und gönne mir das Herz:
> So läßt du mir die Glocke, die ich brauche,
> Aus einer Welt noch find ich ihn heraus.[11]

---

[6] I, 251, V. 140.
[7] I, 261, V. 466.
[8] I, 261, V. 475.
[9] I, 316, V. 2243.
[10] I, 282, V. 1155 ff.
[11] I, 282, V. 1164 ff.

Eben dies Gefühl, das Alkmene ihrer Identität versichert, schützt sie aber nicht davor, die des Geliebten zu verkennen. Da sie Alkmene nur ist, wenn sie ihrer höchsten, liebend empfangenen Entsprechung im andern Menschen begegnet, so muß an diesem Partner sich ihre Identität bewahrheiten. Und dieser Partner ist stets die vom liebenden Gefühl erschaffene höhere Gestalt des Geliebten, die, von der mittleren Linie des Menschlichen abweichend, nach dem Göttlichen weist. Diese Abweichung aber bringt alles ins Wanken. Kein Stein bleibt auf dem andern, wenn dem Menschenbild sich ein Gottesbild einzeichnet, das gerade das andere gegenüber dem Menschen ist. Denn nun gibt es keine Rettung mehr vor der Auflösung aller beglaubigten Realität des andern. Der Geliebte wird gemessen an seinem Bild, an dem

> ... Gemälde ... von Künstlershand,
> Dem Leben treu, ins Göttliche verzeichnet.[12]

> Er wars ...
> Nur schien er selber einer schon mir der
> Verherrlichten, ich hätt ihn fragen mögen,
> Ob er mir aus den Sternen niederstiege.[13]

Der Künstler — Kleist selber — hat den lebendigen Amphitryon zum toten Gott erhöht und verändert und ihn in dieser herrlicheren Gestalt Alkmene zugeführt. Daß sie ihn lieber so als in seinen irdischen Grenzen empfängt, hängt in dieser Epoche zusammen mit der Sehnsucht nach dem weggegangenen Gott, die nur noch vor einem Menschenbild zu stillen ist. Der eben erst verabschiedete Gott ist immer noch von zehrender Gegenwärtigkeit. Der verwaiste Mensch möchte ihn wieder herabziehen zu voller, geliebter Gegenwart. Dies führt zum Zusammenfall des Gottesbildes mit dem allernächsten Partner, jedoch zugleich zu einer Entwirklichung der Menschenzüge dieses Partners, weil nunmehr der höhere, göttliche Partner auch stärkere Wirklichkeit gewinnt. Von der neu gewonnenen realistischeren Position der aufgeklärten und anthropozentrischen Perspektive des beginnenden 19. Jahrhunderts her ist dieser indes auch der Unwirklichere. Zwei Wertsysteme spielen hier ineinander und gegeneinander und machen je den einen der beiden Pole, den Jupiter- oder den Amphitryon-Pol, wirksam oder unwirksam. Diese Ambivalenz äußert sich besonders deutlich im Gebrauch antiker Mythologie. Auf der einen Seite ist der wiedererweckte Jupiter wirklich der Gott, das Ganze, das höchste Lebensprinzip, und dann fällt Amphitryon notwendig als „feiler Bau gemeiner Knechte"[14] dagegen ab. Auf der anderen Seite ist der Gott ein nicht wieder zu belebendes Zitat vergangener Präsenz und steigt nur als postumes Bild vom Himmel der Mythologie herab

---

[12] I, 283, V. 1190 f.
[13] I, 283, V. 1197 ff.
[14] I, 317, V. 2249.

zur Erde, die ihn als Erinnerung begrüßt. Der Liebenden bleibt nur übrig, mit dem sterblichen Mann vorlieb zu nehmen, der stets den Makel des Fragmentarischen tragen wird. Dies meint Alkmenes „Ach!".

Die doppelte Wertigkeit der antiken Mythologie erstreckt sich auch auf den religiösen Gehalt der Gottespräsenz. Alkmene hat den höchsten Gott nicht von Amphitryon zu trennen vermocht, wie Jupiter ihr vorwirft, wenn er sie darauf hinweist, daß sie die gesamte Schöpfung Amphitryons wegen vernachlässigt habe, indem sie aus der offenen Welt in „des Herzens Schacht"[15] stieg. Dieser Vorwurf weist auf die seit dem Ende der Antike notwendig gewordene Trennung zwischen menschlichem und göttlichem Bereich hin, was durch das Wort „Götze" deutlich gemacht wird. Dieses bezeichnet den Auseinanderfall beider Sphären und die fortan abzulehnende Enge des den Gott einschränkenden menschlichen Gefühls. Kleist läßt abermals beide Traditionen, die heidnische der Einheit und die nachheidnische der Dissoziation göttlicher und menschlicher Erfahrung, gegeneinander kämpfen. Dieser Konflikt ist auch der seine und hat ihn diese Thematik wählen lassen. Das Verlangen nach Einheit, das Alkmene dem Jupiter entgegenbringt, verfällt von einem anderen Wertsystem aus — mit dem Kleist aufgewachsen ist — der Zensur; diese nimmt die quälerische Inquisition vor, der Alkmene ausgesetzt wird.

Nun kann man aber diese Beobachtung auch umkehren. Der Götze des Herzens kann auch als eine späte, säkularisierte Folge christlicher Überführung Gottes in eine persönliche, ja private Sphäre begriffen werden, der gegenüber die heidnische Objektivität pantheistisch gleichmäßiger Gottesverehrung mahnend ins Feld geführt wird. Diese Mahnung freilich verbindet sich mit dem gegen die Enge der subjektiven Innerlichkeit geführten Angriff einer realitätsbezogeneren, weltoffeneren Einstellung, die wiederum für die nachromantische Periode, die Kleist in gewissen Zügen vorwegnimmt, charakteristisch wäre. Ob wir in den beiden nebeneinander bestehenden Positionen des Zusammenfalls und des Auseinanderfalls von Mensch und Gott eine heidnische gegen eine christliche oder eine spätchristliche gegen eine neuheidnische Position ausgespielt sehen — entscheidend ist die ambivalente Simultaneität erlaubter und verbotener Vergöttlichung der persönlichen, erotisch bestimmten Liebe. Wie in der *Marquise von O. . . .* sind Alkmene und selbst Jupiter von so konstanter Gesinnung, daß die Schuldfrage lauten muß: „Kann man auch Unwillkürliches verschulden?"[16]

Diese unwillkürliche Schuld findet ihre Analogie in der unwillkürlichen Verkennung der intimsten Details, sogar der Herzschläge und der Stimme des Geliebten. Alkmene erkennt sie als nicht zu Amphitryon gehörig. Die schuldlose

---

[15] I, 290, V. 1432.
[16] I, 291, V. 1455.

Verkennung der Realität ist die Folge der stetigen Übersteigerung des Geliebten zum Gott hin, welche die realen Zeichen verzeichnet: das Präfix ver-, das Kleist hier wählt, gibt der Steigerung auch einen Beiklang von Entstellung. Nicht nur ist das kunsterschaffene Bild des Geliebten „ins Göttliche verzeichnet"[17], auch der Blitz des Gottes ist ins Menschliche verzeichnet. Kleist artikuliert die Abweichung von der natürlichen Zeichensprache — hier des menschlichen Antlitzes oder des Blitzes — in der Überbetonung des „ver-". Die Zeichen werden gleichsam verbogen, einmal durch die Hand des Künstlers, einmal durch die anbetende persönliche Liebe. Das Gefühl, brodelndem Opferdampf gleich, verstellt den Blick auf die Zeichen. Die Umwertung führt vom Menschen zum Gott oder von der Gottnatur zum Menschen. Sie wird als Entfremdung gedeutet. Und doch gibt es für Kleist keinen andern wahren Zugang zu einem Menschen als durch das liebende Gefühl. Wir befinden uns wieder in einem Teufelskreis. An ihm hat Kafka zweifellos einen seiner Vorgänger erkannt.

*

Auch *Penthesilea* ist auf der Voraussetzung aufgebaut, die Liebe sei der einzige Weg zur Erkenntnis und zugleich die Quelle entschiedenster Verkennung. Der Polarität von Engel und Teufel entspricht hier diejenige von Göttin und Hündin. Bei beiden Partnern wird die Doppelnatur simultan sichtbar. Freilich kommt als neue Variante noch die gleichzeitige Verkehrung der Geschlechter hinzu. Jeder der beiden Protagonisten kann in beiden geschlechtlichen Funktionen figurieren. Auch wird hier die Überspringung der mittleren Menschenzone durchgängiger denn irgendwo geleistet, indem die zwiefältige Einheit von Gott und Tier als Zusammenfall von hingebendster Liebe und tödlichem Krieg durch Penthesilea immer von neuem ausgesprochen wird. Dazu gibt die requisitenhaft herbeizitierte Antike ein abgestandenes Formelinventar her, das aber sich wieder konkretisiert, wörtlich wird und lebenbedrohende Energie zeitigt. Grundsätzlich benutzt Kleist in diesem Drama antikisierende Metaphern zum Zweck einer aktualisierenden Wiedererweckung. „Begierden ... wie losgelaßne Hunde"[18] werden später reale Hunde, welche die in Hederichs *Gründlichem Mythologischem Lexikon* angeführten Namen wie Tigris oder Melampus erhalten. „Tigris" erinnert an Penthesileas tigerhaft geflecktes Pferd, dieses wiederum an den Tiger vor dem Wagen des Dionysos. Die Vermischung der Ares- mit der Dionysossphäre ergibt eine neuartige wechselseitige Steigerung des Rausches und des Kämpferischen. Die Tierhaftigkeit der göttlichen Amazone wird von Anfang an metaphorisch hergestellt, wenn, „des einen Zahn im Schlund des anderen"[19], Griechen und Amazonen ineinander verbissen

---

[17] I, 283, V. 1191.
[18] I, 362, V. 1219.
[19] I, 323, V. 11.

sind. Das mit „Schlangenhäuten" bedeckte Amazonenheer durchzieht eine schlangenhaft gewundene Erde. Penthesilea fällt den Griechen wie Athene vom Himmel und blickt als Statue auf die statuenhaft erstarrenden Griechen: von Anfang an besteht eine spiegelnde Korrespondenz zwischen den feindlichen Parteien und ihren Protagonisten, so daß wir in einer tautologisch geschlossenen Welt gefangen sind, in der beide Parteien, und zwar gleichzeitig, die äußersten Gegensätze figurieren. Penthesilea ist Kind, Kentaurin, Herrscherin, Göttin — aber nie Mensch. Als Waldstrom, als Gewitter, als Wölfin, als Mond, der die Sonne Achill sucht, ist sie Element und sucht sie den Geliebten als Element. In jener vor- und übermenschlichen Perspektive gibt es stets die doppelte Möglichkeit der glühenden Anbetung und der Vernichtung des anderen. Zwar herrscht im Verlauf der Szenen bei den Protagonisten jeweils eine der beiden Haltungen vor, doch ist die andere stets latent anwesend. Als bacchantische Tänzerin in der Nacht des Waldes verfolgt Penthesilea das Wild Achill wie in Euripides' *Bakchen* Agaue ihren Sohn Pentheus — nicht mehr wissend, was sie tut. Steiler Raum und jähe Zeit lassen ihren Himmel und ihre Unterwelt in einer einzigen Vertikale zusammenfallen und erschaffen eine Topographie für Sturz und Aufstieg. Eine aus barocker Allegorie abgeleitete Glückspyramide wird nicht mehr nur als bloßes Zeichen, sondern als konkrete Realität in die radikale Alternative des Gelingens oder der Vernichtung gezwungen, als ob eine zweite Welt aus Zeichen die erste Welt der raumzeitlichen Geschehnisse ersetzen könnte. Dieses Phänomen wiederholt sich öfter und stellt sich meist in den Dienst der ambivalenten Polarität: was nur Vergleich, nur Metapher zu sein schien, wird jeweils auf wörtliche Weise wirklich. Die zu pflückenden Rosen sind nicht nur Teile des Ruhmeskranzes, sie sind die zeichenhafte Andeutung der zu fällenden Helden. Hier bringt der Übergang von der Metapher zur Realität den von der Liebes- zur Kriegssphäre hervor. Während sonst das Pflücken von Rosen auf männliche Betätigung im Feld des Eros deutet, sind hier die Rosen Männer, die Frauenhänden anheimfallen. Auch wenn später Penthesilea den Vergleich Achills mit der Sonne wörtlich nimmt und der im Fluß sich spiegelnden Sonne als ihrem Geliebten nachstürzen möchte, wird eine sublime Metapher zu aktuellem Leben erweckt und mit der Macht einer realen Person ausgestattet, so daß jene dabei ihr Leben aufs Spiel setzt. Schließlich wird im gefährlichsten Augenblick des Stücks die Metapher von der Gefangenschaft in der „Blicke Fesseln"[20] als trügerische Gleichung für Penthesileas Gefangenschaft von Achill vorgebracht und als Instrument der Täuschung verwendet.

Wenn dann Penthesilea ihre Reinigung im Strom der Lust so suggestiv formuliert, daß das besudelte Kind, als das sie sich deutet, gleich dem kotbeworfenen Schwan im Traum des Grafen F., wirklich in die Wellen zu tauchen scheint,

---

[20] I, 378, V. 1613.

sieht es für sie so aus, als ob antike Götter nahten. Diese Wiedererweckung der Antike, die hier stets unter dem Zeichen der Einheit von göttlicher und unmenschlicher, von liebender und vernichtender Energie vor sich geht, wird als Grenzzustand, als Erfahrung der eigenen Todesreife erlebt, die zugleich süße, erfüllte Berauschtheit meint.

Bei der feierlichen Begegnung der beiden Protagonisten ist die erste Frage, die jeder an den anderen richtet, ob er es auch wirklich sei. „Unbegreifliche, wer bist du?"[21] Diese Frage bleibt unbeantwortet. Die Verhaltensweisen beider werden die Paradoxie ihres Seins offenbaren, für welche die größte Spannweite zwischen Göttern und Unterwelt angenommen werden muß. Wenn Penthesilea von Achill erwartet, daß er ihr Bild, ohne eine Stütze für sein Gedächtnis, für immer behält, schenkt sie sich ihm schon als eine postume Gewalt, ähnlich wie er selber in ihrer Schilderung als Folge seines Ruhms, als sein eigentlicher Nachruhm zu ihr „aus den Sternen"[22] herabgestiegen zu sein scheint. Genau die gleichen Worte waren Alkmene in den Sinn gekommen, um Jupiter zu bezeichnen. Für Penthesilea wird der Held zum Abglanz des Gottes Mars selber. In solcher Begegnung aus der Nachträglichkeit heraus mag sich schon der Historismus ankündigen, der den Zeichen vergangener geschichtlicher Größe ein postumes Leben einhaucht, das ihm wirklicher wird als die Gegenwart. Die kanonisierte Antike wird hier aus ihrem metaphorischen Formeldasein zu neuem Leben erweckt. Die Bedingungen dafür sind für Kleist in doppelter Weise gegeben: Die von Kleist erkannte Ambivalenz der Liebe kann nur mit Metaphern aus einer Welt bezeichnet werden, die beide Seiten, die vernichtende wie die verklärende, für legitim hielt. Die elementaren Gestalten der antiken Götter und ihre tierhaften Attribute konkretisieren die tödliche Macht der Liebe. Die Verklärung vergegenwärtigt sich in den reineren Gestalten der Olympier und ihrer Söhne. Die Verklärung aber ist an den Tod gebunden und bringt den Gott als schon Entrückten wieder auf die Erde. Das besagt, daß die positive, erfüllte Liebe in Kleists Welt nur Zeichen aus einem erhöhten, beglänzten Todesbereich findet, Zeichen, die eben vom anbrechenden Historismus zeugen. Insofern kehrt hier die Dissoziations-Problematik wieder: Erweckung der Antike ist einerseits die lebensvolle Auferstehung der todbringenden Gewalt des Menschen durch Aktualisierung etwa des Ares oder der Bacchanten, andererseits zeigt sie sich als vom schönen Tod gezeichnete Evokation von Bildern aus dem Bereich des Olymps, die Erfüllung nur mit dem Stempel des Todes bringen.

Die Schilderung der Vorgeschichte Penthesileas und des Amazonenstaats ist insofern bedeutsam, als die einstige Vergewaltigung der Frauen noch immer Sühne fordert, wie in der *Marquise* die Sühne für den einzigen Akt der

---

[21] I, 384, V. 1811.
[22] I, 395, V. 2182.

Gewalt die ganze Erzählung in Atem hält. Die einstige Schändung prägt künftig den Bereich der Sexualität schlechthin und verlangt von jeder Amazone das Opfer der rechten Brust, durch welches — in Kleists merkwürdigem bekanntem Bild — die Gefühle nur noch in der linken, „dem Herzen um so näher"[23], wohnen. Man kann in diesem Bild zugleich ein Bild von Kleists eigener neurotischer Störung des Gleichgewichts sehen: die Verstümmelung hat als Folge ein extremes Konzentrat von Liebebedürftigkeit, das sich nicht gleichmäßig über die ganze Existenz verteilt, sondern sich in bedrohlicher Einseitigkeit zusammenballt und dadurch alles, was mit ihm in Berührung kommt, gefährdet.

Bevor Achill Penthesilea die Wahrheit sagt, daß er sie, nicht sie ihn besiegt hat, kündigt er ihr „mit erzwungener Heiterkeit" an:

> Du sollst den Gott der Erde mir gebären!
> Prometheus soll von seinem Sitz erstehn,
> Und dem Geschlecht der Welt verkündigen:
> Hier ward ein Mensch, so hab ich ihn gewollt![24]

Dieser Gott der Erde wäre demnach ein Rebell gegen die Himmlischen, ein neu anbrechendes Kapitel in der Geschichte des Verhältnisses zwischen Göttern und Menschen. Die jetzt weit ernster genommene untere Welt sollte gegenüber der geschwächten, entwirklichten oberen Welt künftig ein Übergewicht behaupten, das der Autonomie des Menschen entspräche. Während dem Amphitryon der zeusgeschenkte Herakles noch als Segenspender angekündigt wurde, ein Halbgott, zum Eingang in den Olymp bestimmt, ist jetzt ein der Erde verhafteter Gott an der Zeit. Freilich: diesen Gott wird es gerade nicht geben! Das Ende beider Protagonisten vernichtet diese Zukunft. Dennoch bleibt der Ausblick auf eine nie eintreffende Zukunft. Was bedeutet er, und warum wird er erst dann gewährt, wenn die Krise bei der Eröffnung der Wahrheit die Möglichkeit zu ihrer Verwirklichung unterbindet? Dieser „Gott der Erde" ist ein Paradox, eine Negation bisheriger Vorstellung von Göttlichkeit, ein Raub an den früheren Göttern. Er könnte vielleicht das Schicksal des Prometheus wiederholen. Kleist hat eine Möglichkeit ausgesprochen und im gleichen Atem zurückgenommen.

Das Zweideutige einer solchen Verkündigung wird sogleich deutlich, wenn sich nun, endgültig, das Blatt wendet und Penthesileas innigste Liebesbezeugung sich in Mord verwandelt. Wie in der *Marquise* entspricht das Ausmaß ihrer Raserei dem Ausmaß der vorangehenden entzückten Hingebung. „Nein, sieh den Schrecklichen! Ist das derselbe —?"[25] Hier finden wir die von Kleist immer neu gestellte Frage. Kann sich übergangslos ein Umschlag von einem Extrem

---

[23] I, 390, V. 2016.
[24] I, 397, V. 2230 ff.
[25] I, 398, V. 2267.

ins andere vollziehen? In der äußersten Hingabe ist die äußerste Feindschaft latent schon anwesend. Wenn die Geliebten einander nicht alles sein können, so soll nichts mehr zwischen ihnen sein, so sollen sie nicht mehr weiterleben. Der Todeswunsch betrifft für Penthesilea beide Seiten. Sie denkt die Tötung Achills niemals allein, ihr eigener Tod ist ihr ebenso gewiß. Der, den sie töten will, ist für sie „ein steinern Bild"[26], also bereits tot. Die von Ares, Zeus und Dionysos ausgehende Kraft, die Penthesilea jetzt zuwächst, ist aus derselben Quelle gespeist, aus der die Liebe stammte: aus dem Fundament der Existenz, die daran ihre Identität erfährt. Jetzt trennt sich die Dimension, der Penthesilea angehört, von der Achills. Er kann fortan nicht mehr folgen, bleibt in seinen Grenzen befangen und verkennt den absoluten Ernst der Situation. Von jetzt an bedarf Kleist zur Durchführung des Dramas einer stofflich vorgeformten Stütze, die ihm Euripides' Tragödie *Die Bakchen* bietet. Auch kann das meiste, was jetzt geschieht, wie bei Euripides, nur in epischem Bericht mitgeteilt werden.

Penthesilea wird als „das Wort des Greuelrätsels"[27] angekündigt. Im Augenblick, wo sie die gräßlichste Untat begeht und den Geliebten verschlingt, wird sie als Wort bezeichnet, als Metapher. Ihre Untat wird von ihr selber als konkretisierter Reim, „Küsse-Bisse", und als Wörtlichnehmen der Redensart, man möchte jemand vor Liebe essen, interpretiert. Ein Ausdruck, der zuvor von der realen auf die übertragene Ebene versetzt worden war, wird zurückverdinglicht: dadurch wird der Akt der Liebe fetischisiert. Die Redensart, der Reim sollen wieder zur konkreten Wirklichkeit werden, der sie sich einst enthoben hatten. Hat dieser Sachverhalt etwas zu tun mit der Wiedererweckung antiker Götter, antiken Gottesgefolges? Ja: das Reimwort und die Redensart waren, wie die antiken Götternamen, mittlerweile zur Formel geworden, deren konkretistische, wörtliche Erweckung nur ein tödliches Leben zeitigen konnte. Daß die glanzvolle, verklärte Seite antiker Göttlichkeit ihren Todesstatus nicht abstreifen und nur in uneigentlichem Zitat scheinhaft wieder aktualisiert werden kann, haben wir am Beispiel von Penthesileas Idolatrie gegenüber Achill gesehen. Jetzt, wo sie ihn tötet, kann die diesen Tod vorzeichnende antike Tradition, vor allem die Sphäre der dionysischen ‚Bacchanten', in eigentlichem Sinn neu erweckt werden, aber um den Preis der daran beteiligten Personen. Die Alternative lautet: neu verherrlichte antike Schönheit ohne Leben — neu verwirklichte antike Gewaltsamkeit, deren Leben Tod bringt. Oder: positives Leben in Gestalt des Todes — negatives Leben, das Tod bringt. Das eine Leben entstammt dem Tod, das andere mündet in den Tod. Achill wird als Bild vergangener Antike aus der olympischen Verklärung ins Leben gerufen, um Penthesileas todbringender Lebendigkeit zum Opfer zu fallen.

---

[26] I, 403, V. 2391.
[27] I, 411, V. 2600.

Wir können noch weiter nach dem Sinn dieser Re-Konkretisierung der übertragenen Bedeutung fragen. Ein totales Mißtrauen gegenüber der Sprache als dem Ort der Vermittlung zwischen Geist und Körper mündet in die Absage an die geistige Seite des Wortinhalts zugunsten der körperlich-konkreten. So wird die Wendung „vor Liebe essen" nur noch Antrieb zum realen, körperlichen Akt: die sublimierende Funktion der Sprache wird wiederaufgehoben. Und wenn sich Bisse und Küsse im Reimwort umarmt haben, so wird die Einsicht in die Ambivalenz der Liebe, die sich im Reim ausdrückt, rückgängig gemacht zu ihrem rohen Vollzug. Offenbar ist also der Glaube an die reinigende Kraft geistiger Übersetzung in Sprache und Dichtung nicht mehr vorhanden. Der „Gott der Erde" wäre vielleicht die Inkarnation dieser verlorenen Hoffnung. Nietzsche konnte hier an Kleist anschließen, er, der Ariadne den Dionysos als „grausamsten Jäger", als „Henker-Gott"[28] besingen ließ.

Nach ihrer Untat wird Penthesilea beschrieben als eine junge Frau, die

> ... von der Nachtigall geboren ...
> Gewiegt im Eichenwipfel ... flötete,
> Die stille Nacht durch, daß der Wandrer horchte,
> Und fern die Brust ihm von Gefühlen schwoll.[29]

Wieder versammelt Kleist zur Evokation einer positiven erotischen Szenerie lauter abgestandene Vorstellungen, die er in den verschiedensten Werken, besonders im *Käthchen*, plaziert. Angesichts der Bedeutung von Penthesileas Mordtat verflüchtigt sich diese Schilderung. Es ist möglich, daß Kleist diese Inkonsistenz nicht bewußt war. Sie erweist sich aber in der Undifferenziertheit, ja der Süßlichkeit des Gesagten. Daß Penthesilea unfähig war, ein noch so geringes Tier zu töten, ist eben der Grund dafür, daß sie den Geliebten verzehren kann. Es gibt eine Selbsterhöhung in der Reinheit des Verhaltens, die sich in die notwendig verunreinigenden Forderungen des menschlichen Lebens nicht einübt und sich darum ihnen nicht zu stellen vermag, wenn sie sich in ihrer Widersprüchlichkeit unausweichlich aufdrängen. Die radikale Alternative zwischen totaler Identität idealischer Gesinnung mit idealischem Handeln und totaler Dissoziation beider, wenn vom Partner her Widerstände sich in den Weg stellen, führt zum Verbrechen, dem keine innere Gewissensnorm zu steuern vermag.

Penthesilea wird nur noch wie ein barockes Ruinengelände beschrieben, als Versammlung von loci terribiles. Die selbstvollzogene Reinigung im Wasser führt sie in eine postume elysäische Region, wo sie in gespenstischer Schuldlosigkeit sich bewegt. Aus ihr reißt sie sich los, indem sie in den „Schacht" des

---

[28] Werke in drei Bänden, hrsg. von Karl Schlechta, München ²1960: II, 1256 f.
[29] I, 414, V. 2683 ff.

Busens hinabsteigt, genau wie Alkmene in Jupiters Vorstellung in „des Herzens Schacht" sich versenkte, wo sie ihren Götzen fand. Es ist der gleiche Schacht, aus dem die anbetende Liebe stammt, die nun hier, in konkretisierter Metaphorik, aus Erz besteht und als ein Dolch aus Gefühl ihr den Todesstoß versetzt. Dieser selbstvollstreckte Tod aus Gefühl, im Augenblick, wo Penthesilea sich vom „Gesetz der Fraun"[30] lossagt, ist die letzte Konsequenz autonomer Subjektivität und ersetzt die Wirklichkeit eines materialisierten Todes durch seine innerliche Entsprechung. Die Welt löst sich in desem Akt ganz vom Subjekt. Schien sie bis jetzt grenzenlos den von ihm gewollten Handlungen ausgeliefert, so stirbt sie jetzt für das Ich ab, das seine letzte Tat nur noch mit sich selber ausmacht.

> Da nichts von außen sie, kein Schicksal, hält,
> Nichts als ihr töricht Herz — Das ist ihr Schicksal![31]

bestätigen einander im 9. Auftritt die Oberpriesterin und Prothoe. Nach dem Tode Achills tritt auch das vom Herzen gesetzte Schicksal außer Kraft, gibt es nur noch die totale Objektlosigkeit. Die Entstehung des innerlichen Dolches verdankt sich drei Elementen: „der Glut des Jammers", dem Gift der Reue und dem Antrieb der Hoffnung. Diese zuletzt genannte Hoffnung bezieht sich nicht auf etwas Bestimmtes. Sie ist eine utopische Dimension, die zur Zukunft hin offenbleibt. Worauf sie sich gerichtet hat, verrät der Text nicht. Mit diesem Rest vager Gläubigkeit, der sich trotz allem erhält, entläßt uns dieses kühnste Drama Kleists.

*

Immer wieder zitiert man Kleists Satz: das *Käthchen* und die *Penthesilea* „gehören... wie das + und — der Algebra zusammen, und sind ein und dasselbe Wesen, nur unter entgegengesetzten Beziehungen gedacht."[32] Seine Gültigkeit nutzt sich indes durch den Gebrauch nicht ab. Im *Käthchen* finden wir nicht die Einheit von liebender und tötender Gewalt und die Dissoziation in Göttin und Furie. Im Gegenteil gibt die Heldin durch ihre Unbeirrbarkeit ein Muster absoluter Liebe ab. Doch ihr Partner, der Graf Wetter vom Strahl, kennt die Verwechslung beider Prinzipien, solange er an Kunigunde glaubt und Käthchen wie einen Hund mit der Peitsche von sich stößt. Der Graf erscheint als dissoziiert in die himmlische Gestalt, die Käthchen anbetet, und den Teufel, den ihr Vater Theobald verfolgt. Käthchens die Gesetze der Welt transzendierende Liebe und Treue kann hier mit Hilfe von Legendenmotiven gefestigt werden — analog zu den aus den *Bakchen* stammenden Motiven, in denen Penthesileas negativ die Welt unterschreitende Gewaltakte konkretisiert

---

[30] I, 426, V. 3012.
[31] I, 364, V. 1280 f.
[32] II, 818.

werden. Die Szene, wie Käthchen beim Wegritt des Grafen aus dem Fenster stürzt, ist ungefähr gleichzeitig geschrieben worden wie jene, in der die Dienerin Nanni beim Anblick der Bahre ihrer geheiligten Herrin Ottilie hinabstürzt. Wir haben hier also offenbar ein in den ersten Jahren des 19. Jahrhunderts gültiges Zeichensystem, in dem die bedeutendsten Autoren sich ausdrückten. Theobalds Anrede an den Grafen wiederholt fast wörtlich Amphitryons Anrede an Jupiter: „O du — Mensch, entsetzlicher, als Worte fassen, und der Gedanke ermißt"[33]:

> Du Mensch — entsetzlicher,
> Als mir der Atem reicht, es auszusprechen! —[34]

Diese genauen Wiederholungen nicht nur der Situationen, sondern auch der Formulierungen rechtfertigen es, wie oft bei Kleist, genaue Entsprechungen des jeweiligen Stellenwerts anzunehmen.

Theobald beschwört eine barocke Hekate-Vision, die, wie bei Kleist häufig, die Pest zur Hauptmacht unter den finsteren Gewalten erklärt. Die Pest ist eine der hervorstechendsten negativen Chiffern in seiner festgelegten Zeichensprache. Käthchen wiederum identifiziert den Grafen mit dem göttlichen Richter und erweist so aufs neue, wie die Vakanz auf dem göttlichen Thron nur durch einen geliebten Menschen ausgefüllt werden kann.

Kunigundes erste Ansprache an den Grafen nach ihrer Rettung mimt den idealischen Tonfall, den wir aus Penthesileas Anreden an Achill kennen. Wie diese schenkt sie dem Grafen einen Ring. Die Scheinhaftigkeit der affirmativen Redeweise wird hier thematisch, während sie in anderen Teilen des Werkes sich unfreiwillig entblößt.

Die falsche Erwartung, die der Graf an Kunigunde richtet, ist abhängig von der in todesähnlichem Schlaf entsprungenen Vision der Kaisertochter. Wichtig sind die angeblichen Worte des Grafen: „die Welt nannt er ein Grab, und das Grab eine Wiege, und meinte, er würde nun erst geboren werden. —"[35] Dies läßt die Worte der Marquise von der Unmöglichkeit befruchteter Gräber anklingen, von der undenkbaren Geburt aus dem Schoß der Leichen. In der Tat ist der Graf, wie auch Käthchen, mehrmals an die Grenze von Leben und Tod gelangt, so daß ihrer beider Weiterleben auch die uns nun mannigfach bekannte Struktur des Postumen aufweist.

Kunigundes Neigung zum Grafen ist von der Quelle der wahren Gefühle abgeschnitten — das wird durch die graphische Auszeichnung der Verben „wollen" und „sollen" deutlich gemacht. Wenn der Graf erklärt: „So wahr,

---

[33] I, 439.
[34] I, 317, V. 2276 f.
[35] I, 469.

als ich ein Mann bin, die begehr ich / Zur Frau!"[36], so heißt das nur, daß der
männliche Aspekt der Rolle des Grafen in Frage gestellt wird. Als himmlische
Gestalt füllt er die ihm in diesem Drama zugedachte Rolle aus, dagegen ist
er in einer menschlichen Mann-Weib-Beziehung von der Wahrheit abgeschnitten, die er repräsentieren sollte. Auch hier bestehen das weltliche und das
religiöse Wertsystem nebeneinander und begründen die Dissoziation der
Frauengestalten, wobei hier eindeutig zugunsten der religiösen Ordnung Partei
ergriffen wird. Kleist bemächtigt sich einer Volkssage, um mit ihren Mitteln
die absolute Erscheinungsweise der Liebe zu zeigen, von der er die realere
Kunigunden-Handlung ausschließlich negativ abhebt. Das begründet seine
Stoffwahl, die keineswegs durch die modische Vorliebe für das Mittelalter
motiviert ist.

Der Graf erklärt: „Es ist mehr, als der bloße sympathetische Zug des Herzens; es ist irgend von der Hölle angefacht, ein Wahn, der in ihrem Busen sein
Spiel treibt"[37], der dieses absolute Maß an Selbstverleugnung und Treue hervor-
rief. Um dieses Mehr ausdrücken zu können, nahm Kleist die Legende zu Hilfe.
In allen von uns behandelten Werken ist dieses „Mehr" sein Thema. Er dichtet
bereits in einer Zeit, die dafür keine Terminologie mehr besitzt, weil sie der
Möglichkeit dieses „Mehr" mißtraut. Darum muß er Zuflucht zu nicht mehr
gedeckten religiösen Vorstellungen des Mittelalters oder der Antike nehmen.
Hier steht, für einmal, der Geist der Vorlage in Übereinstimmung mit dem,
was ausgedrückt werden soll. Freilich begünstigen die Kindlichkeit der Handlung und die von Käthchen angeschlagene Tonart eine milde distanzierende
Ironie, die den Zusammenhang der Problematik mit der eigenen Zeit leichter
einsichtig macht.

Die extreme Verklärung der Käthchen-Sphäre am Schluß des Stücks verlangt
als entsprechendes Gegenbild Kunigunde, das weltliche Mosaik aus heterogen-
sten Teilchen, das an barocke Körperbeschreibungen und ihr Nachleben bei
Jean Paul und Büchner erinnert. Die Montage wäre so in Kleists Wertetafel
ein Signum der Unechtheit. Freilich ist auch hier wieder die zu Käthchens Preis
dagegengesetzte affirmative Sprache auf ihre Weise gleichfalls unecht. Aber
Motive wie „Holunderstrauch" und „Zeisig" geben die Stelle an, an der Wahrheit gedacht werden soll, als stets wiederkehrende Signale für etwas nicht mehr
angemessen Aussprechbares. Kleist hat für das, was er preisen will, keine
Sprache mehr. Der Gott der Sprache ist nicht mehr himmlisch, er müßte ein
Gott der Erde werden. Dies aber ist erst eine Hoffnung, eine Aussicht, noch
keine Verwirklichung. Nur scheinbar gibt es im *Käthchen* dank der mittelalter-
lichen Maske eine objektive Instanz. Die Metaphern, welche die Gottes-,

---

[36] I, 477.
[37] I, 503.

Engels- und Kaisersphäre herstellen, sind bloße Inszenierungsmittel. Sie können den auf sich selbst verwiesenen Menschen nicht retten.

*

In den meisten Erzählungen, wo ja der Erzähler das Wort führt und die Unmittelbarkeit erregten, feierlichen oder höhnenden Sprechens nur indirekt erscheint, können die hier nachgezeichneten Strukturen ohne allzu gesteigerte Verklärung und mit einem sich mäßigenden Aufgebot an Mitteln zur Schilderung des Bösen auftreten. Sie sollen hier nur noch in skizzenhafter Abkürzung referiert werden, um ihre Permanenz nachzuweisen.

Die *Verlobung in St. Domingo* drückt die Ambivalenz mittels einer symbolischen Hautfarbenskala aus, die vom Schwarz Congo Hoangos über das Braun Babekans und das Gelbliche Tonis bis zum Weiß Gustavs reicht. Toni, in der Mitte zwischen den Extremen, ist die wichtigste Gestalt; sie wird gleichsam vom Schwarzen zum Weißen bekehrt. Zwei Nebenerzählungen von Mädchen, die sich radikal zu ihren Geliebten verhalten, zeichnen die beiden Möglichkeiten vor, wie die Hauptgeschichte gedeutet werden kann: als Verrat, der sich in der Pest konkretisiert, und als Opfertod. Gustav wird die erste wählen, während die zweite zutrifft. Wie eine Leblose antwortet Toni auf Gustavs Liebesbezeugungen, wie eine Gelähmte reagiert sie auf die zu frühe Rückkehr des Negers. Ihre für sie selbst todbringende Liebe wird sie in die Umschlingung des Geliebten durch den Strick, der ihn retten sollte, legen, doch wird diese Schlinge sie selber töten. Dies scheint mir der „kleistischste“ Moment der Novelle zu sein: wenn die Umschlingung sich nur als Fesselung kundtun darf, welche die doppelte Rettung in doppelten Tod umwendet. Erst im Grab werden die Toten als Verlobte ihre Ringe tauschen dürfen, wie Penthesilea und Achill. Die Liebe erfüllt sich auch hier erst postum.

Im *Findling* ist die Ambivalenz nicht in e i n e Person gelegt, sondern in das Doppelgängertum zweier Personen. So sehen wir von vornherein zugleich eine Dissoziation vor uns, die nur in der Täuschung, der Elvira, die weibliche Hauptgestalt, erliegt, zur Ambivalenz verschwimmt.

Die beiden einander äußerlich gleichenden Gestalten sind der Adoptivsohn Nicolo Piachi und der längst verstorbene Genueser Ritter Aloysius Collin von Montferrat, der die Adoptivmutter einst gerettet hatte und vor dessen verklärtem Bild sie täglich ihre Andacht verrichtet. Entscheidend ist, daß die Handlung um Nicolo den ganzen Raum der Erzählung einnimmt, während um Colino eine Art von Kapelle gebaut wird, die ihn aus dem Erzählverlauf ausnimmt. Aus seinem Leben wird nur ein Moment präsent, eben die Rettung der dreizehnjährigen Elvira aus den Flammen, die an die Rettungen der Marquise und der Kunigunde durch ihre Liebhaber erinnert. Diese Feuerprobe erzeugt die Verklärung, zumal hier die Rettung noch den Tod des Retters nach sich gezogen hat. Elvira küßt einen Toten. Nicolo vergewaltigt sie, während sie „unter dem Kuß des Todes plötzlich"[38] erblaßt. Diese Einheit von Himmel und Hölle, von Hingabe und Gewalt, von Arglosigkeit und berechnender Strategie reißt Colino und Nicolo zu der einen, gespaltenen Gestalt zusammen. Ihre Zusammengehörigkeit und ihr Auseinanderfall ermöglichen es, daß der himmlische und der verbrecherische Charakter der Liebe gleichzeitig sich verwirklichen können. Die gleiche Elvira erfährt zugleich beide Arten der Liebe, während diesmal, im Gegensatz zur *Marquise* und zur *Penthesilea*, die beiden Aspekte auf zwei Männer aufgeteilt sind. Deren simultane Präsenz in Elvirens Schicksal ist der Moment, auf den für Kleist alles ankommt. Wie die religiöser Inbrunst verwandte Hingabe und die Verwechslung. die sadistischer Lust an der Erniedrigung zur Beute wird, in ein und demselben Vorgang existieren können, dies beunruhigt Kleist als eine Ambivalenz, die letztlich jedem Liebesakt innewohnen kann. In einer permanent wiederholten Selbstbestrafung läßt er die beiden extremen Deutungen männlichen Liebens gegeneinander streiten und sich radikalisieren. Dem entspricht das Ende der Erzählung, wo der edelste Charakter, der selbstlose Kaufmann Piachi, nichts mehr will als die absolute Rache.

Ohne Ambivalenz, vielmehr in deutlichster Geschiedenheit, sind in der Legende *Die heilige Cäcilie oder die Gewalt der Musik* zwei Gesänge aufeinander bezogen: der „Himmel des Wohlklangs"[39] des uralten italienischen Oratoriums und das mit Leoparden- und Wolfsstimmen gebrüllte Gloria in excelsis der vier zu ewiger Geisteskrankheit Verdammten. So radikal, wie hier die himmlische Musik von jeder anderen absticht, so unterwelthaft tönt der Gegengesang. Kleist vermag die eine Lage mit den Mitteln des Legendenstils, die andere mit Hilfe einer barocken Tieremblematik auszudrücken, beide tun durch ihre Uneigentlichkeit kund, daß sie zusammengehören. Dazwischen wäre die Zone der Menschen, die auch in dieser Erzählung keine Gegenwart zugebilligt bekommen.

*

Nicht nur in den erzählenden Werken wird Ambivalenz im Zusammenfall der höchsten und der verworfensten Möglichkeiten des Menschen sowie deren aufeinander bezogene Dissoziation zum Thema, sondern auch in den betrachtenden Schriften. Zwar wird sie charakteristischerweise nicht explizit und ausführlich reflektiert, aber die Struktur ist so charakteristisch, daß sie sich sogar in einen nicht von Kleist stammenden Text eindrängen kann: nämlich den Aufsatz *Empfindungen vor Friedrichs Seelandschaft*. C. Brentano und A. v. Ar-

---

[38] II, 212.
[39] II, 218.

nim haben hier die himmlische Staffage beigesteuert, d. h. die Beschreibung der „unendlichen Einsamkeit am Meeresufer, unter trübem Himmel", des „Rauschens der Flut", des „Wehens der Luft", des „Ziehens der Wolken"[40] und des Kapuziners, der mit Sehnsucht darauf blickt. Der Redakteur Kleist bringt vor allem e i n e n ganz neuen Gedanken bei: das Heulen der Füchse und Wölfe angesichts der imaginären Landschaft, die mit ihrer eigenen Kreide und ihrem eigenen Wasser gemalt wäre (was Kleist als höchstes Lob für diese neue Art des Malens meint). Wieder also das Motiv des Höllengesangs aus der Zone des Nicht-Menschlichen, hervorgelockt durch die Elemente selber, die sich selbst zur Kunst machen. Kleist vollzieht hier eine Umwendung von Brentanos gegenstandsferner Unendlichkeitspoesie zu künftiger neuartiger Materialisierung der Dichtung und ihrer Mittel. Die sich von den Dingen entfernende Kunst zu ihnen zurückzuführen, ja die Kreaturen herbeizurufen, die diesen Dingen zugeordnet sind, das hieße, uns vom Himmel der Entrückung durch die Hölle der Materialisierung zu führen und uns so vielleicht zur menschlichen Mitte zu erlösen. Der dies tun möchte, nimmt das 19. und mehr noch das 20. Jahrhundert vorweg. Doch wird die Vermittlung nirgends gezeigt. Vom Anfang bis zum Ende bleiben in Kleists Texten die Strukturen der Ambivalenz und der Dissoziation in ihrer Paradoxie gegenwärtig. Mit dem Erzähler quälen sie zugleich den Leser, der keine ihn auch nur partiell entlastende Antwort erhält. Die Kleistsche Wahrheit ist hier jedesmal nur das Ganze des Dramas oder der Erzählung, und so gibt es vor Ambivalenz und Dissoziation kein Entrinnen, sondern nur die Nötigung zu permanenter Konfrontation mit ihnen. Sie soll in aktive Reflexion münden und den Leser dazu bringen, die von Kleist ausgesparten Schlüsse selber zu schreiben.

---

[40] II, 327.

HEINRICH VON KLEIST: GEWALT UND SPRACHE*

Für Wilhelm Emrich zum 29. 11. 1979

von H e l m u t A r n t z e n

Das Selbstverständliche ist das Seltsame. So selbstverständlich es zu sein scheint, daß man des Geburts- und Sterbetags, gar des 100. oder 200. eines Dichters gedenkt, so seltsam muß es bei einigem Nachdenken wirken. Zumal bei Heinrich von Kleist. Was ist gedenkwürdig am Leben dieses Erfolglosen? Mit 21 nimmt er seinen Abschied als preußischer Leutnant; studiert, aber schließt das Studium nicht ab; tritt in den Staatsdienst ein, aber scheidet nach gut einem Jahr wieder aus; verlobt sich und löst die Verlobung wieder; gründet eine Zeitschrift und scheitert damit; schreibt Dramen und hat keinen Erfolg mit ihnen; redigiert eine Tageszeitung, die nach einem halben Jahr eingeht; hat ständig Geldsorgen, ist fast ständig krank, erschießt sich mit 34 Jahren.

Aber ist es nicht gerade darum ein exemplarisches Leben: das des einsamen Genies? Kaum, denn ein derartiges Scheitern gab es, gibt es zehntausendfach. Aber doch exemplarisch als ein an der reaktionären preußischen Gesellschaft zerbrechendes Leben? Nichts als eine Floskel, wenn man daran denkt, wie viele der besten Köpfe der klassisch-romantischen Periode zwischen 1800 und 1810 unter preußischer Herrschaft leben und sich erhalten.

Mit diesem Leben ist weder Staat noch Revolution zu machen. Aber seine Metamorphose in die Biographie zeigt exemplarisch, wie durch das zubereitete Leben vom Werk abgelenkt werden kann. Vom Biographismus des 19. Jahrhunderts bis zur Gegenwartsinszenierung des *Prinzen von Homburg* ist das Werk Kleists immer wieder zur Dokumentation seines Lebens mißbraucht worden, und das Leben, dessen „unerhörtes Unglück" (mit Hebbel[1] und gegen diesen zu sprechen) ihn mit so vielen in der Geschichte der Menschheit gerade vergleichbar macht, dieses Leben ist ornamentiert worden mit Stücken und Stückchen aus dem Werk.

---

* Zitiert wird nach der Ausgabe Heinrich von Kleist: Sämtliche Werke und Briefe. Ed. Helmut Sembdner. 2 Bde. 4. Aufl. München 1965. (Band- und Seitenzahlen in Klammern.)

[1] Friedrich Hebbel: Kleist. In: F. H., Sämtliche Werke. Hist.-krit. Ausg. Ed. Richard Maria Werner. Abt. I. Bd. 7. 2. Aufl. Berlin 1904. S. 180.

Aber wieder ist das Selbstverständliche das Seltsame. Ob nun das große Individuum oder das arme Gesellschaftsopfer — immer brauchte man offensichtlich zu dessen Darstellung auch, ja vor allem dieses Werk; denn ohne es würde sich die Gegenwart um Kleist so wenig kümmern wie um die abertausend Leidenden vor und in ihr. Wie wenig man dieses Werk auch bis heute begriffen hat, wie häufig man in ihm als einem Genietagebuch oder als einem Kapitel sozialer Krankheitsgeschichte blättert, es bleibt dennoch das Zentrum dessen, was man vag genug unter dem Namen Kleist zusammenfaßt. Und immer ist wohl zumindest die Ahnung davon da — und sie verdichtet sich in Erinnerungsstunden wie dieser —, daß da etwas Unabgeltenes, ja Unabgeltbares jenseits des Lebensdokuments sei, dem man sich nicht stellen wolle, dem man aber auch nicht völlig sich entziehen könne.

Wir müssen hier die Figur des „Man" bemühen, denn es wäre ganz unmöglich, rasch auszumachen, in welcher Weise sich diese Ahnung aus einer Mischung von Konvention, schlechtem Gewissen des Ganzen und der Lektüre- und Theatererfahrung vieler einzelner herstellt, ja wie die Konvention selbst sich bildet, des Werks Kleists sich öffentlich zu erinnern. Denn auch diese Konvention ist so selbstverständlich wie seltsam. Einige der Dramen gehören zwar zum sogenannten Repertoire (aber wie entsteht das?), einige auch und einige Erzählungen, zwei Aufsätze, ein paar Anekdoten standen im Kanon des Deutschunterrichts und werden wohl selbst heute noch dort das repräsentieren, was die unter dem Namen der Reform institutionalisierte Dummheit von der Literatur übriggelassen hat. Aber die Dramen brauchten Jahrzehnte, ehe sie sich unüberhörbar gemacht hatten. Und die Erzählungen galten lange Zeit als nichts weiter denn interessante Beispiele der Gattung.

Der jetzt wieder gerühmte Gervinus läßt in seinen Urteilen — knapp eine Seite für den Dramatiker — einigermaßen erkennen, was das Werk Kleists der Öffentlichkeit um die Mitte des vorigen Jahrhunderts bedeutete:

> Man muß es zugeben, der Härten und Ecken sind in allen kleistischen Werken gar zu viele. In der Familie Schroffenstein [...] ist im letzten Akte die tragische Dosis unmäßig stark; den Amphitryo des Molière hat er verzerrt; die Penthesilea [...]grenzt so sehr an die Tragikomödie, daß man zweifeln würde, wie das Stück gemeint sei, wenn man nicht einen Ausspruch des Verfassers kennte, nach dem er den ganzen Schmerz und Glanz seiner Seele hier niederlegen wollte; im Käthchen von Heilbronn und im Prinzen von Homburg hätte man das heilbronner Visionswesen, Somnambulie und Magnetismus lieber entbehrt.[2]

Dann folgen ein paar Zeilen Anerkennung, von denen die höchste lautet: „Die Hermannsschlacht ist ihrer historischen Bedeutung nach das wichtigste der

---

[2] Georg Gottfried Gervinus: Geschichte der deutschen Dichtung. Bd. 5. 5. Aufl. Ed. Karl Bartsch. Leipzig 1874. S. 750.

kleist'schen Stücke ..."[3] Der Novellist Kleist gar wird nur als Glied einer Reihe notiert, in der sowohl Goethe, Tieck und E. T. A. Hoffmann als auch Tromlitz, Fischer, Schefer und Hauff stehen.[4]

Weder das Leben Kleists noch die frühe Rezeption seines Werks könnten erklären, was dieses Werk bedeutet und daß es heute als etwas gilt, das wesentlicher Teil der Geschichte der Menschheit ist, soweit sie mehr ist als die Historie ihrer sogenannten Taten. Doch auch dort, wo die üblichen Phrasen von der Größe der Kleistschen Dichtung wie die von der gesellschaftlichen Relevanz der Texte als Erklärung auftreten, wird jedem Nachdenken eher unerklärlich, daß knapp tausend Druckseiten eine Bedeutung beanspruchen können, die das ganze öffentliche Gerede der Gegenwart einschließlich des größten Teils ihrer Literatur offensichtlich nicht hat; unerklärlich auch dem gegenüber, daß das so massiv Faktische der Zeit Kleists nicht nur, sondern auch des Jahrhunderts nach ihm zu weithin bloß historischen Schemen sich verflüchtigt hat. Das gilt so sehr, daß wir z. B. eine Reihe von Zeitgenossen Kleists, die aus der damaligen Perspektive als wichtige Repräsentanten der Epoche gelten mochten, so gut wie gar nicht mehr kennen und auch nicht kennen müssen, daß sie der Geschichte des Bewußtseins nur aufbewahrt sind als Anmerkung zu Kleist. So bleibt festzuhalten: acht Dramen (mit dem Guiskard-Fragment), acht Erzählungen, einige Aufsätze und einige Anekdoten, sicher auch noch ein schmales Corpus von literarisch wichtigen Briefen — dessentwegen allein kümmern wir uns und mit Grund um Heinrich von Kleist.

Aber worin ist das Interesse der Nachwelt an diesem Werk gegründet? Die Qualität Kleist, die jeder Öffentlichkeits- wie Einzelbemühung so selbstverständlich vorausgesetzt wird, wie kam sie zustande, worin besteht sie?

Wenn richtig ist, daß sie nicht mit d e m L e b e n des Heinrich von Kleist ineins gesetzt werden darf, so ist natürlich mit dem bloßen Hinweis auf d a s W e r k noch ganz und gar nichts gewonnen, selbst wenn versucht wird, die leere Abstraktion des Hinweises durch Einzelinterpretation zu füllen.

Zunächst muß zugegeben werden, daß sich die Literaturwissenschaft und -kritik bis heute vor dem entschieden Fragwürdigen des sich hier Andeutenden gedrückt hat. Sie hat Wertungen immer hinsichtlich einzelner Texte unternommen und ist dabei immer schon von dem Vorurteil der Bedeutung des œuvre, zu dem der einzelne Text gehört, ausgegangen. Allenfalls hat sie sich eben, obwohl dafür gänzlich unzuständig, wertend zu dem Leben seines Autors (als einem „Ganzen") geäußert.

Nun hat es mit diesem Verfahren pragmatisch dennoch seine Richtigkeit, denn ohne das merkwürdige Vertrauen in die Zuverlässigkeit der Überlieferung

---

[3] A.a.O. S. 752.
[4] A.a.O. S. 775.

als genereller Wertung, also ohne Übernahme eines Vorurteils käme es zu keiner Arbeit im Detail. Aber wenn ein Gedenktag nicht auf das Leben nur aufmerksam machen, nicht einen einzelnen Text nur würdigen, vielmehr die (behauptete) Qualität Kleist vermitteln soll, so kann dieses Vorurteil nicht einfach weitertransportiert werden. Denn es würde zu bloßer Konvention werden, die in der Vokabel vom Klassiker versteint ist, wenn nicht die Frage nach dieser Qualität erneut gestellt würde, einer Qualität, die wir entweder in dem entdecken können, was als eine bestimmte Menge von Sätzen auf uns gekommen ist oder die wir nicht entdecken werden. Niemals können wir sie mittels irgendeiner Stilisierung dieses beschwerten Lebens entdecken, wohl aber ist in diesem Leben vielleicht ein Moment, in dem der Ursprung dieser Qualität sichtbarer wird.

Der Umfang der überlieferten Briefe Kleists vom März 1799[5] (mit dem ersten großen Brief, dem an den Lehrer Martini) bis zum November 1811 teilt sich für die Zeit vom März 1799 bis zum Abschiedsbrief an Wilhelmine von Zenge im Mai 1802 und für die Zeit von 1802 bis zum Tode etwa wie 60 : 40. Will sagen: Ca. $^3/_5$ des Gesamttextes der überlieferten Briefe ist in gut drei Jahren, aber $^2/_5$ ist in $9^1/_2$ Jahren geschrieben worden. Berücksichtigt man auch alles, was dieses Zahlenverhältnis beeinflussen kann — von der Lückenhaftigkeit des überlieferten Corpus bis zur Anlaßabhängigkeit für das Schreiben eines Briefes —, so wird doch dieses erstaunliche Verhältnis im wesentlichen gewährleistet bleiben. Es ist, ausgedrückt in zwei Mengen und deren Relation, ein Indiz für die Zweigeteiltheit dieses Lebens in bezug auf das Werk. Wohlverstanden: es geht mir um nichts weniger als um eine Art Periodisierung des Kleistschen Lebens, die diesem natürlich längst viel besser, als es sein armer Träger je vermocht hätte, verpaßt worden ist. Es geht mir hier nur darum, den Zeitpunkt zu bestimmen und zu begreifen, einen fließenden, paradox gesagt, von dem ab davon zu sprechen ist, daß sich das Werk Kleists als Substrat dieser Qualität Kleist bildet.

Eingewendet wird an dieser Stelle vielleicht, man wisse schließlich, wann der D i c h t e r Kleist zu schreiben begonnen habe; auch sei nur zu bekannt, sollte ich auf die Kantkrise und ihre zeitliche Umgebung anspielen wollen, was ich tatsächlich will, wann diese zu datieren sei.

Aber es geht darum, die Bedeutung dieses Zeitpunktes, die Bedeutung der sogenannten Kantkrise nicht für das Leben, sondern für die uns heute beschäftigende Qualität Kleist zu verstehen, die Qualität Kleist, die das Werk und die als notwendig geahnte oder gar begriffene Rezeption des Werks in einem ist.

---

[5] Die beiden ganz frühen vom März 1793 und vom Februar 1795 bleiben hier unberücksichtigt.

Der 21- bis 24- bzw. 25jährige Kleist, der lange Briefe vor allem an die Verlobte und an die Schwester Ulrike schreibt, ist ein junger Mann, der — schriftstellerische Begabung eingeräumt, existentielle Probleme zugestanden — sich mit erheblicher, aus der sozialen und geographischen Situation aber erklärlicher Verspätung um ein Leben unter der Ägide des Rationalismus bemüht, des Rationalismus, wenn man diesen als dogmatische Frühform der Aufklärung betrachten will. Der junge Kleist ist also noch gar nicht bei Lessing angekommen — schon darum wäre von diesem Kleist eine auf uns wirkende literarische Produktion nicht zu erwarten gewesen. Ich gebe dafür Stichworte aus den Briefen: „... durch alle diese Vorteile Deines Umgangs [i. e. des U. mit Ulrike] scheidet sich das Falsche in meinen Grundsätzen und Entschlüssen immer mehr von dem Wahren, das sie enthalten"; der „Lebensplan"; „ein schönes Kennzeichen eines solchen Menschen, der nach sichern Prinzipien handelt, ist Konsequenz, Zusammenhang und Einheit in seinem Betragen"; „hohe vorurteilsfreie Grundsätze der Tugend"; „Herrschaft der Vernunft"; „Gesetze der Vernunft". So in einem Brief an Ulrike vom Mai 1799 (II, 487—491). Aber noch in dem Brief an Wilhelmine vom 22. März 1801, dem Hauptdokument der Kantkrise, heißt es: „Ich hatte schon als Knabe [...] mir den Gedanken angeeignet, daß die Vervollkommnung der Zweck der Schöpfung wäre. [...] *Bildung* schien mir das einzige Ziel, das des Bestrebens, *Wahrheit* der einzige Reichtum, der des Besitzes würdig ist." (II, 633)

Gewiß, es gibt beim jungen Kleist erhebliche Differenzierungen dieses geradezu in blockhaften Nomina fixierten Rationalismus. So heißt es auch: „... und doch wohnt das Glück nur im Herzen, nur im Gefühl, nicht im Kopfe, nicht im Verstande" (Brief an Ulrike vom 12. November 1799; II, 494). Aber das ist keineswegs der Gegensatz zu den Affirmationen von Vernunft, Tugend, Bildung und Wahrheit, sondern ihre Ergänzung, in der sich die Empfindsamkeit dadurch als Teil des Rationalismus zeigt, daß sie wie dieser in blockhaften Nomina sich artikuliert: Glück, Herz, Gefühl, nicht Kopf, nicht Verstand.

Das nominale Sprechen zeigt die einheitliche, gegen alle psychologischen Nuancen sich durchsetzende Bemühung um und die Anpassung an den Rationalismus. Aber für Kleist ist das nicht die Aufarbeitung eines schon antiquierten philosophischen Systems durch einen Studenten, sondern der Versuch eines Menschen um 1800, Sprache zu finden als das Allgemeine, das ihn seines Daseins versichert. Fast übertrieben pointiert tritt der Wunsch nach Anpassung, Einfügung als der Wunsch nach Umgangssprache hervor, übertrieben pointiert wie bei einem, der sich immer neu einüben muß in etwas, das ihm doch schon nicht mehr selbstverständlich ist. In der Tat sind der Wunsch nach der Sprache, wie sie allgemein gesprochen wird, und der Mangel an Fähigkeit, sie selbstverständlich nachzusprechen, gleich groß. Auch dies zeigt sich schon sehr früh, nämlich im Brief vom 18. und 19. März 1799 an Martini: „Sie hören mich so

viel und lebhaft von der Tugend reden — — — Lieber! ich schäme mich nicht zu
gestehen, was Sie befürchten: daß ich nicht deutlich weiß, wovon ich rede, und
tröste mich mit unseren Philistern, die unter eben diesen Umständen von Gott
reden." (II, 475) Ein Kernbegriff dieser Sprache, nein dieser Suche nach Sprache
als Umgangssprache, um den die frühen Briefe Kleists kreisen, ist „Wissenschaft". Und damit sind wir an dem Punkt, der uns verstehen läßt, wo die
Qualität Kleist entspringt. Denn „Wissenschaft" ist — bei aller semantischen
Modifikation — für den jungen Kleist wie für die 150 Jahre seit Kleist wie
für uns Gegenwärtige die Zentralvokabel für den bisher letzten Versuch,
Sprache als Allgemeines und Gemeinsames, als Umgangssprache zu haben. Für
Kleist konnte das nicht heißen, nur ein funktionierendes Instrument für
Information und Kommunikation zu haben, sondern in Sprache als Sprache
immer schon substantielle Bedeutung zu erfahren und auszudrücken — und nur
insofern kann ja ein so „inhaltlicher" Begriff wie „Wissenschaft" zu einem
zentralen der Sprache als Umgangssprache seit dem Ende des 18. Jahrhunderts
werden, so wie es vorher Vernunft, vorher Gott waren. —

Aber exakt die Bemühung, durch Wissenschaft das eigene Sprechen als Teil
des allgemeinen, ja des konventionellen zu legitimieren, also Wissenschaft zum
Prinzip der Sprache in der Moderne zu machen, führt bei Kleist zum endgülti-
gen Zusammenbruch der Sprache als des gegebenen und vorauszusetzenden
Allgemeinen. So als sei in Kleist ein Prozeß, der seit etwa 200 Jahren bewußt-
seinsgeschichtlich abläuft, in Blitzesschnelle zu seinem Ende gekommen, begreift
er Kants Kritik, die doch als die Ermöglichung moderner Wissenschaft und
damit allgemeiner Sprache bis heute verstanden wird, gerade als Zerstörung des
Prinzips Wissenschaft in dem Sinne, daß in Kants Kritik der Allgemeinheits-
anspruch aufs bloß Phänomenale sich einschränkt, sprachkritisch gesprochen,
daß eine Restriktion auf die feststellbaren Tatsachen eintritt als auf das, wovon
allein noch gesprochen werden könne, wohingegen von allem anderen zu
schweigen sei.

Die meinetwegen philosophiegeschichtlich als Mißverständnis Kants einzu-
ordnende Rezeption durch Kleist bewährt sich nicht nur in dessen Produktion
als Dichter, wovon zu sprechen sein wird. Vielmehr zeigt sie ihre Wahrheit in
der Sprachentwicklung und dem Bewußtsein von der Sprache seitdem. Denn
das Allgemeine der Sprache qua Wissenschaft, das Kant durch Restriktion aufs
Phänomenale und damit durch Abtrennung vom sogenannten Metaphysischen
zu sichern suchte, parzellierte sich dank des fehlenden Schnittpunkts, der bei
Kleist „Wahrheit" heißt, alsbald in die hundert und aberhundert Jargons der
Wissenschaft e n , der rationalen Sektensprachen, und ließ als leere Form des
Allgemeinen eine Umgangssprache zurück, die nur noch für die Gestikulationen
des täglichen Geredes gut ist und in den Sendungen der Medien wie der öffent-
lichen Rede täglich zu so etwas wie absolutem Geschwätz gerinnt. Umgangs-

sprache als Allgemeines ist gewissermaßen nur noch die Erscheinungsweise der Medien, die nur zur Vollständigkeit der Rezipienten bedarf. So kann man heute ebensogut vom Radio wie von dem, der dort spricht, als vom Sender, von dem Apparat wie von dem, der davor sitzt, als vom Empfänger reden.

Der Ursprung der Qualität Kleist liegt darin, daß für Kleist die Rezeption Kants die eines wahren Gedankens und nicht die Aufnahme irgendeiner meinungshaften Information bedeutete, daß diese Wahrheit aber die Vernichtung des Allgemeinen der Sprache als eines Verbindlichen und Substantiellen einschloß. Diese scheinbar ganz private Rezeption geht nun genau auf die geschichtliche, ja sprachgeschichtliche Bedeutung des Kantschen Gedankens ein, während dessen gängige Rezeption nichts anderes als dessen Unschädlichmachung ist. Kleist begreift, daß der Weg der Aneignung immer schon gegebener Wahrheit, will sagen: der Übernahme immer schon verbindlicher und darum allgemeiner Sprache mit Kant vollständig zu Ende ist: „Mein einziges, mein höchstes Ziel ist gesunken" (Brief an Wilhelmine von Zenge vom 22. März 1801; II, 634). Damit gleichzeitig aber ist keine Verständigung mit Welt und Menschen mehr möglich, die immer auf einem „konventionellen Verhältnis" (Brief an Wilhelmine von Zenge vom 10. Oktober 1801; II, 692), also auf Umgangssprache als der Äußerungsweise von Allgemeinem und Verbindlichem beruht.

Die p r i v a t e E x i s t e n z des Heinrich von Kleist ist von diesem Augenblick an gebrochen, ihr Ende ist abzusehen. Die D i c h t u n g Kleists, die Qualität Kleist, die uns heute angeht, b e g i n n t in diesem Augenblick, denn sie bedeutet die Überwindung der konventionellen, nun objektiv unwahren und im Verlauf von anderthalb Jahrhunderten immer sinnloser werdenden Rede der Umgangssprache durch „neue Sprache".

Aber scheinbar paradox produziert sich „neue Sprache" nicht ex nihilo, sondern in und aus dem ältesten überlieferten Sprachgebrauch: eben dem der Dichtung. Denn „neue Sprache" bedeutet nicht eine neue „Wesenheit" Sprache, als welche sie keine menschliche wäre, sondern sie bedeutet, daß Lexikon, Syntax, Semantik neu werden durch den Sprecher, der begreift, daß nichts mehr n a c h gesprochen werden kann, weil Verbindlichkeit nicht mehr vorweg gegeben ist, daß alles vielmehr neu e r sprochen werden muß, jedes früher wahre Wort erst wahrhaftig werden, also in der Subjektivität des Sprechers seine Verbindlichkeit gewinnen muß.

Doch beginnt bei Kleist kein Sprachexistentialismus; die Rede von der Sprache des Gefühls, auf Kleist bezogen, bleibt, unvermittelt formuliert, nur eine schiefe Metapher. Denn Kleist spricht ja in Versen, in Aufzügen, in Tragödien und Komödien, in Motiven, Symbolen, Erzählungen. Er stellt sich mitten in die Überlieferung, allerdings in die eines Sprachgebrauchs, in der sich Verbindlichkeit immer schon durch Reflexion, Auseinandersetzung mit der eigenen Überlieferung, nie durch dogmatisches Nachsprechen hergestellt hat, so daß noch in der traditionsbezogensten Dichtung, wenn sie denn irgendeine Bedeutung hat, das Moment des Neuen, wenn auch latent, zentral ist. So wendet Kleist jedes Element dieser Überlieferung um und läßt es als vom Selbstbewußtsein des Sprechers, nämlich des Dichters Kleist ganz durchdrungenes wieder erscheinen. Kaum ein Vers läuft glatt ab, und wo das doch einmal der Fall zu sein scheint, macht die Art der Glätte als auf ihr bloß Rhetorisches, nämlich Schwindelhaftes nachdrücklich aufmerksam.

Amphitryon und Alkmene im 2. Akt der Komödie:

> Amphitryon: — Du scherzest. Laß zum Ernst uns wiederkehren,
> Denn nicht an seinem Platz ist dieser Scherz.
> Alkmene: D u scherzest. Laß zum Ernst uns wiederkehren,
> Denn roh ist und empfindlich dieser Scherz. (2. Szene; I, 273)

Daß sich beide in die Attitüde der heroischen Tragödie, in überlieferte Rede zu retten versuchen, ist ein Teil der dargestellten Problematik ihres Verhältnisses. Aber die Attitüde verrät sich als solche: die schönen und gemessenen Verse bilden durch Wiederholung ein Opernduett, in dem die dem Genre zugehörende Repetition nicht die Harmonie der beiden „Sänger" vermittelt, sondern auf die gegenseitige Fremdheit der Figuren des Dramas aufmerksam macht. Wie wenig sie übereinstimmen, das erscheint erst in diesem Formalen, das die Stagnation des Dialogs, der doch die sprachliche Grundform des Miteinandersprechens repräsentiert, kenntlich macht.

In den Erzählungen übermittelt kein Satz nur die Nachricht vom Faktum. Indem sich fast jeder gewissermaßen selbst ständig unterbricht, ohne je zu zerbrechen, macht er darauf aufmerksam, daß das Erzählte nicht das Faktum bloß ist, das er mitteilt, sondern Bedeutung, die er einschließt, aber daß das, was diese Bedeutung ausmacht, nur in seinem erzählenden Sprechen selbst erscheint und nicht im diskursiven, also konventionellen Kommentar im Nachhinein zutage tritt.

Doch so wenig angesichts der Auseinandersetzung Kleists mit dem überlieferten Sprachgebrauch der Dichtung existentialistische Formeln die Bedeutung des Werks bestimmen können, so wenig ist mit der Formel vom Personalstil über das Neue dieser Sprache als Sprechen etwas gesagt. Käme es in dem einen Fall doch wieder auf eine sublime Dokumentation des Lebens durch das Werk heraus, so wäre in dem anderen das ganze Ergebnis dieses Lebens in dem Aufweis des Kleistschen Stils begriffen.

Auf diese Weise bliebe von Kleist wieder nur das f a s c i n a n s eines Lebens, das aber ein vergangenes ist, oder die K u n s t f e r t i g k e i t eines Werks, das als ästhetischer Reiz sich erschöpfte.

„Neue Sprache" setzt voraus, daß die Formen des Sprechens, insofern diese immer etwas bedeuten, und dessen bedeutende Gegenstände, insofern diese immer nur als Form des Sprechens ganz erscheinen, untrennbar sind.

Was aber in Kleists Sprechen erscheint, ist nicht das Unerhörte als das Phantastische, sondern das Wahrscheinliche als das Unerhörte. Zur Geschichte der Tragödie gehört, daß in ihr das Schreckliche, zu der der Erzählung, daß darin das Überraschende einen bevorzugten Platz haben. So auch bei Kleist. Aber bei ihm ist dies nichts mehr, was für einen Augenblick die gesicherte Weltordnung störte, oder gar umgekehrt, was sie einsichtig machte, sondern vielmehr das, was deren durchgängiges Fehlen als Fehlen verbindlicher Sprache manifestiert, das, worin die Gebrechlichkeit dieser Welt sich zeigt.

Die Art der Manifestation der gebrechlichen, chaotischen Welt hängt selbst aufs innigste mit der Sprache als Problem und Notwendigkeit zusammen: die Welt ist von Gewalt durchherrscht als dem Ausdruck von Sprachverwirrung und Sprachlosigkeit.

Am drastischsten stellt sich Gewalt bei Kleist dar in Epidemien, Naturkatastrophen, in Krieg und Revolution. Immer gehört zu ihnen als dargestellten das Moment der Sprachlosigkeit. Aber noch bei Shakespeare, noch bei Schiller wird das Katastrophale eingeholt durch das Sprechen der Figuren, in dem es nicht nur Bedeutung erhält, sondern auch als pure, also sprachlose Gewalt überwunden wird. Kleists Figuren gelingt das nicht nur nicht, vielmehr verstärkt ihr Sprechen als konventionelles oft genug noch die Sprachlosigkeit der Gewalt.

Im *Guiskard* schon, wo die Pest von vornherein alles bestimmt, ja wo sie sogar die Gewalt des Krieges überwältigt, wird diese Gewalt von keinem Sprecher mehr eingeholt, sondern verstärkt sie sich in der überredenden wie in der denunziatorischen Demagogie der Führer. Wie deutlich aber erst im *Erdbeben von Chili*. Was gängigerweise der Katastrophe Bedeutung geben würde, die Predigt im Dom, macht hier aus der Naturgewalt erst die barbarischere, nämlich menschliche. Die Sprache wird nun selbst ein Modus der Gewalt, sie verliert das Bewußtsein ihrer selbst als Sprache. Die barbarische, also menschliche Gewalt wird aber nicht von einem ungewöhnlichen Sprachgebrauch hervorgebracht, vielmehr gerade von einem, der allen geläufig ist: der konventionellen Rede. Der predigende Chorherr „kam", „im Flusse priesterlicher Beredsamkeit, auf das Sittenverderbnis der Stadt" (II, 155). Zur bloß rhetorischen Suada, die automatisch abläuft, gehört die das Geschehen nicht denkende, sondern sie fixierende, also es sprachlos machende Formel von der „Sittenverderbnis", die das Stichwort für die Morde ist.

Hier ist e i n e Stelle, die begreiflich macht, daß Kleist wichtig für uns ist und warum er es ist. Hiervon sollte nicht abgelenkt werden durch die Rede von

Gesellschaftskritik, die das Verhältnis von Gewalt und Sprache, das für unsere Epoche in all ihren politisch-gesellschaftlichen wie individuellen Erscheinungen bestimmend ist, in diesem Fall auf das Thema klerikaler Herrschaft eingrenzt.

Das Durchherrschende der Gewalt ist bei Kleist nicht eingeschränkt auf ein bestimmtes soziales Verhältnis derart, daß es durch Vokabeln wie Feudalismus, Klerikalismus, Bürgertum festzunageln wäre. Aber es sind ebensowenig die sogenannten allgemein menschlichen Verhältnisse, sondern es sind die Verhältnisse einer Epoche, in der der Verlust des tradierten Allgemeinen weder erlaubt zu sprechen, wie einem der Schnabel gewachsen, noch, wie das System konstruiert ist bei Strafe perennierender und wachsender Gewalt.

Doch dies ist nur die erste Schicht der Gewaltreflexion in Kleists Werk. In einer anderen geht es um die erschreckende Identität des Gewaltcharakters aller menschlichen Beziehungen und Verhältnisse.

In der *Familie Schroffenstein* und im *Findling* ist es die Gewalt in der Beziehung zweier verwandter Familien und innerhalb der Familie; im *Kohlhaas* und im *Prinzen von Homburg*, aber auch im *Zerbrochnen Krug* ist es die Gewalt in der Beziehung von Individuum und Staat; in der *Marquise von O . . .* und in der *Penthesilea* die Gewalt in der Beziehung von Individuen nicht nur, sondern von Liebenden.

Häufig genug ist auch diese Gewalt verknüpft mit einem bestimmten Sprachgebrauch. Der Erbvertrag in der *Familie Schroffenstein* produziert ebenso Gewalt wie das uralte Gesetz der Tanaïs in der *Penthesilea* und wie die Kriegsgesetze im *Prinzen von Homburg*. Rechtssätze, die Gewalt regulieren sollen, reproduzieren sie. Andererseits entsteht Gewalt wie im *Michael Kohlhaas* und im *Zerbrochnen Krug* auch durch Verletzung von Rechtssätzen. In Kleists Werk zeigt sich in diesem Bereich überlieferten Sprachgebrauchs dessen Problem besonders eindrücklich. Weder das Alter noch die genaueste Kodifizierung beheben die Fragwürdigkeit des Gesprochenen, sie zeigen vielmehr die Gewaltlatenz der Rechtssätze, soweit sie blind fortgeschrieben und angewendet werden. Umgekehrt aber kann an jeder Ecke ein Junker von Tronka mit „ungesetzlichen Erpressungen" (II, 10) lauern, wenn das Recht im bloßen Funktionieren des Staatsapparates aufgehen soll, so daß sich dazwischen die Beliebigkeit privaten Manipulierens ausbreiten kann. Dann tritt die Situation einer nicht endenden Konkurrenz von Präzisierung, also Vermehrung, und Rationalisierung, also Verminderung der Rechtssätze ein, eine Konkurrenz, die der Gerichtsrat Walter im *Zerbrochnen Krug* als den Zustand der Absurdität erfaßt, ohne es zu wissen:

Es fehlt an Vorschriften, ganz recht. Vielmehr
Es sind zu viel, man wird sie sichten müssen. (4. Auftritt; I, 188)

In dieser Situation der Verwirrung ist wahrhaft alles möglich: der Gewalt-
täter Adam spricht als Richter Recht über seine eigene Gewalttat, der Rechts-
suchende Kohlhaas gilt als „Querulant" (II, 24).

Aber es ist sehr wohl zu beachten, daß es immer nur ein bestimmter Sprachgebrauch ist (den wir hier abkürzend mit konventioneller Rede bezeichnen),
aus dem Gewalt hervorgeht bzw. durch die Gewalt sich verstärkt.

Hingegen ist Kleists Dichtung als Darstellung die allgemeine Sprachskepsis
ganz fremd, in der die existentielle Verzweiflung unserer Epoche ihren letzten
Ausdruck gefunden hat, bevor sie m a s s e n w e i s e zur kriegerischen, i n d i -
v i d u e l l zur terroristischen Gewalttat, die sie mit dem Jargon des Schreckens
begleitet, überging. Wie absurd wäre auch die Vorstellung, die äußerste, mit der
Hingabe des eigenen Lebens bezahlte Anstrengung eines Dichters gelte der Darstellung der Unfähigkeit der Sprache, Welt und Menschen wirklich zu machen.
Wenn häufig die skeptischen Bemerkungen der Dichter zur Sprache Sprach-
gebräuchen gelten, historisch zu bestimmenden Sprachzuständen, so gilt das
wesentlich für Kleist, der selbst diskursiv sich eines neuen Sprachgebrauchs zu
versichern suchte, indem er von der „allmähliche[n] Verfertigung der Gedanken
beim Reden" sprach und damit einen wesentlichen Teil der neuen Sprecher-
situation traf, die der entgegengesetzt ist, in der „der Geist schon, vor aller
Rede, mit dem Gedanken fertig ist" (II, 322).

Im *Findling* bringt Sprachlosigkeit als Stummheit aller drei Hauptfiguren
die Gewalt hervor: Nicolo ist „ungesprächig und in sich gekehrt" (II, 200), als
Piachi, sein Stiefvater, ihn mit nach Rom nimmt, was angesichts der Situation
so verständlich wie bedeutungsvoll ist. Als Nicolo nach dem Tode seiner jungen
Frau sich sofort wieder seiner Geliebten Xaviera Tartini zuwendet, reden
weder Elvire, Piachis Frau, noch Piachi selbst mit ihm, außer daß dieser ihn
durch das Aussprechen des Namens der Xaviera angesichts des Sarges mit Nicolos verstorbener Frau anklagt. Als Nicolo durch Colinos Bild, das ihm gleicht,
völlig über sein Verhältnis zu Elvire verwirrt ist, sitzt diese „statt nun mit ihm
zu sprechen, schweigend, [...] am Speisetisch" (II, 209). So kommt es zur
schrecklichen Konsequenz: Nicolo versucht Elvire zu vergewaltigen. „Sprachlos"
(II, 213) nimmt Piachi, der hinzukommt, die Peitsche von der Wand und will
ihn aus dem Hause treiben. Nachdem aber die Gegengewalt Nicolos den Alten
als Enterbten verhöhnt, den er, der „Findling", nun aus dem Hause jagen
kann, vermag sich Sprache nicht anders mehr zu zeigen als in dem absoluten
Rachebegehren des Alten, der Nicolo das Gehirn an der Wand eindrückt, über
den Tod Nicolos hinaus.

Die Gewalt in Kleists Werk erscheint in allen Beziehungen und auf allen
Ebenen, und sie wird hervorgebracht und verstärkt durch das jeweilige Verhält-

nis der Beteiligten zu ihrem Sprechen, das sowohl in der konventionellen Rede wie in der Stummheit ein Verhältnis der Fremdheit ist. Gewalt ist bei Kleist das Verhältnis der Menschen zueinander, die die Sprache verloren haben bzw. die i h r e Sprache nicht finden wollen, die verstummen oder der Sprache sich unterwerfen, indem sie sie zu beherrschen meinen.

Was bei Kleist die „gebrechliche Einrichtung der Welt" (*Michael Kohlhaas;* II, 15) genannt wird, die sich in Gewalt und Gegengewalt manifestiert, scheint durch das absolute Gefühl allein ins Rechte gebracht werden zu können. Diese nuhafte Selbstgewißheit, die allein durch jenes sich verwirklicht, scheint das Wesen vieler Hauptgestalten Kleists auszumachen: Kohlhaas' und der Marquise von O..., Penthesileas und Alkmenes. Und nur die immer latente Verwirrung des Gefühls durch Fremdes scheint diese Selbsterlösungen zu verhindern oder wieder zu zerstören.

Es gehört zu den stillen Abreden der Kleist-Forschung, auf die *Hermannsschlacht* nur beiläufig und höchst kritisch einzugehen, weil es ein Werk sei, das bloß ideologische Ursachen habe. So richtig das ist und so mißlungen das Stück in dem Sinne, daß sein Autor die Intention des Dramas als eine literarische in diesem Fall zugunsten propagandistischer Wirkung vernachlässigt hat, so ist doch auch richtig, daß es dennoch durchaus im Kontext des Kleistschen Werkes steht wie auch als ein Drama zu begreifen ist, dessen objektive Intention gegen die subjektive seines Autors zeugt. Das wird allerdings so lange übersehen, als die Kleistschen Texte weiterhin als Lebensdokumente mißverstanden werden. In diesem Stück zeigt sich massiver als anderwärts, wie sehr es im Werke Kleists nicht um Affirmation des absoluten Gefühls, sondern um dessen D a r s t e l l u n g , also auch seine Problematisierung geht. Für Hermann hat sich die Welt so zweigeteilt, wie sie heutiger ideologisierter Politik, ihren Führern und ihren Verführten, durchweg erscheint: nicht einmal als Welt der Guten und Bösen mehr, sondern als Welt, die zwar durchaus homogen ist in ihrer Gewalthaftigkeit, deren Gewalt aber als verschiedenartige gilt. Unterschieden wird nach guter oder richtiger oder wahrer und nach böser, falscher, lügnerischer Gewalt. Alle Werte sind in Wahrheit nur noch Attribute der einen Gewalt, doch soll diese dank jener Attribute als etwas jeweils qualitativ anderes erscheinen. Und eben dies ist bei Hermann die schreckliche Leistung des unverwirrten absoluten Gefühls. Doch ist es die l i t e r a r i s c h e Leistung des Dramas, nicht nur die Grauenhaftigkeit der Gewalt, die aus dem Gefühl Hermanns sich speist, sichtbar zu machen, sondern zu zeigen, wie gerade dessen A b s o l u t h e i t sie um vieles grauenhafter macht als die der Römer, gegen die es sich wendet. Bei den Römern nämlich gibt es keine Parallele zu der Abschlachtung der vergewaltigten Germanin und der Zerstückung ihrer Leiche durch ihren Vater und ihre Stammesgenossen. Ausdrücklich geht es Hermann bei diesem Mord darum, Gewalt gegen die Römer zu produzieren. Diese Gewalt wird — eine vollständige Vorwegnahme unserer Realität — durch die Fabrikation von Haß mitproduziert. Andererseits bleiben die von der Gewalt verschont, die zwar bisher auf der ‚falschen‘ Gewaltseite gestanden haben, aber als Nichtrömer, als Germanen potentiell auf der ‚richtigen‘ schon stehen. Nur innerhalb dieses Partialsystems gilt nun noch, was sonst doch — auch bei Kleist — in der Komödie für das Ganze gelten soll: „Versöhnt, umarmt und liebt euch!" Und gerade dieses Wahnsystem wird durchs absolute Gefühl garantiert: „Verwirre das Gefühl mir nicht!" (5. Akt, 14. Auftritt; I, 615), ruft Hermann dem Egbert zu, der ein das Wahnsystem transzendierendes Argument einzuführen versucht. Was diese Selbstgewißheit bedeutet, begreift Varus, der Repräsentant der etablierten, nämlich römischen Ordnung:

> Die Zeit noch kehrt sich, wie ein Handschuh um,
> Und über uns seh ich die Welt regieren,
> Jedwede Horde, die der Kitzel treibt. — (5. Akt, 21. Auftritt; I, 622)

Aber es ist nicht nur Hermann, es sind sowohl Kohlhaas wie auch Penthesilea und Alkmene, in deren Darstellung sich das absolute Gefühl problematisiert. Kohlhaas machen nicht die Umstände weder als Gesellschaft noch als das Handeln schlimmer einzelner zum „Räuber und Mörder", sondern, wie die Erzählung schon zu Ende des ersten Abschnitts selbst konstatiert, „das Rechtsgefühl" (II, 9), also genau d i e Erscheinung des absoluten Gefühls, die sich gegen die aus der Verletzung konventioneller Rechtssätze fließende Gewalt stellt. Ihm bleibt nichts als Gegengewalt als die Wiederholung des Immergleichen.

Alkmene will dem „innerste[n] Gefühl" mißtrauen, als sie „einen andern fremden Zug [auf dem Diadem] erblick[t]" (2. Akt, 4. Szene; I, 282): das J des Jupiter statt des A des Amphitryon. Aber sie läßt sich lieber in ihm göttlich bestärken, will sagen: sie metaphysiziert ihre Selbstbeschwindlung, und noch, als sie diese zu begreifen beginnt und damit die Fragwürdigkeit ihres doch von Jupiter bestätigten Gefühls, bittet sie diesen: „Laß ewig in dem Irrtum mich" (3. Akt, 11. Szene; I, 318).

Das absolute Gefühl der Penthesilea aber erscheint als Selbstzerstörung. Doch hier ist es das, was einzig ihr noch bleibt, da Achill ihre Liebe, obwohl sie in „neuer Sprache", in der Erzählung ihrer selbst zu ihm gesprochen, nicht begriffen hat. Das absolute Gefühl ist bei Kleist nie die Lösung, sondern allenfalls die Verwandlung der Gewalt in Tragik.

Aber selbst das absolute Gefühl als tragische Selbstvernichtung ist nur wirklich, insofern es in den W o r t e n der Penthesilea erscheint. Ganz sprachlos ist nur die hündische Gewalt der Tötung als Schlachten und Beißen. Diese totale Sprachlosigkeit ist die Wirkung von Achills Verrat, aber nicht des Verrats, den man in der Zerstörung der Illusion Penthesileas sehen könnte, ihn besiegt zu haben. Erst als ihre Situation wieder völlig sich zur günstigen gewandelt hat, sie von den Amazonen gerettet worden ist, erst als Achill sie, als sei doch nur durch Gewalt ihr Miteinanderleben zu gründen, zum Zweikampf fordern läßt, ist für Penthesilea der Verrat Achills wirklich. Denn sie muß begreifen, daß die völlige Entdeckung ihrer selbst, daß die „neue Sprache" dem Achill nichts war als reizvolle Mitteilung und ästhetisches Erlebnis.

> Was ich ihm z u g e f l ü s t e r t , hat sein Ohr
> Mit der M u s i k der Rede bloß getroffen? (20. Auftritt; I, 403; Hervorhebung von mir, H. A.)

„Musik der Rede", das deutet auf das Doppelte: auf Sprache als das Gängige, Konventionelle, das sich im Rhetorischen objektiviert und ganz formalisiert — und da „Musik" wird, ästhetischer Reiz, reiner Klang. Dies beides ist genau die Doppelheit der Problematik eines Sprechens, das nicht vom Bewußtsein der Sprechenden eingeholt wird und das an sich selbst keine Substanz mehr dank vorauszusetzender Allgemeinheit hat. Die Doppelheit dieser Problematik, die uns täglich begegnet, daß nämlich vom Sprechenden nicht legitimiertes Sprechen zur sinnlosen, bloß rhetorischen Rede, zum Geschwätz herunterkommt, daß aber diesem Geschwätz, das wir heute Information nennen, ein ästhetischer Reiz vindiziert werden kann, durch den immer aufs neue die Substanzlosigkeit heutigen Redens, des öffentlichen zumal, verdeckt werden soll. „M u s i k der Rede", das ist das Ästhetische an aller sogenannten Kommunikation vom Reiz der Reklame bis zu dem Reiz, den die Kunst von sich selbst übriggelassen hat.

Als „Musik der Rede" hat Achill nur erfahren, was in Wahrheit das Äußerste und Innerste des Sprechens Penthesileas zugleich war. Davon wird sie in die Sprachlosigkeit der absoluten Gewalt gestoßen, aus der sie ganz und gar schweigend (23. Auftritt; I, 414. 24. Auftritt; I, 418) hervortritt. Und dennoch nicht ganz. Wieder stellt sich das Bewußtsein, stellt sich „neue Sprache" her, und zwar — dies ist das Ungeheure, das die Geschichte des Dramas bisher nicht gekannt hat — in Gestalt einer Sprachreflexion. Gibt es etwas, das die Unsinnigkeit des Leben-Werk-Parallelismus beweist, so ist es die letzte Szene der *Penthesilea*. Daß das ganz und gar Schreckliche und das ihm folgende Schweigen Penthesileas nicht am Ende stehen, daß die Gewalttat nicht einmal auf der Szene gezeigt wird, wie es einem Theater heute beifiele, das sprachlos geworden ist, weist auf ganz anderes als auf eine Realitätsillustration. Aber natürlich auch auf alles andere denn auf Literatur als bloße Literatur. Was hier „neue Sprache" zeigt, die ja mit dem Werk Kleists identisch ist und die die Qualität Kleist wesentlich ausmacht, das ist: Wie noch am Grunde der unmenschlichen Gewalt, wenn sie denn nicht als unmenschliche perenniert und damit jede Vorstellung von wie immer vorstellbarer Menschheit schlechthin vernichtet, wie noch am Grunde der Gewalt Sprache als das sich zu bewegen beginnt, das allein die Gewalt und damit die Selbstzerstörung des Ganzen wie des Einzelnen überwinden könnte.

Freilich geschieht dies am Ende der *Penthesilea* nicht so, daß eine Lösung verkündet würde. Auch dies wäre „Musik der Rede". Penthesileas Versuch, Gewalt einzuholen, die ihr als fremde gegenüber ist, so daß sie selbst, die sie doch die Gewalt war, sich völlig fremd ist, ist auch nicht die Reflexion, die noch das Schreckliche rationalisiert. Eher schon ist es auch deren Parodie durch die Sprache. Denn der Reim, den sie sich auf das Schreckliche macht — „Küsse, Bisse" (24. Auftritt; I, 425) — ist kein schöner, sondern ein schrecklicher Reim, den sie mit dem Selbstmord nur bestätigen kann. Aber dieser Reim ist auch die radikalste Opposition gegen das, was sich sonst in gängiger Rede reimt: alles mit allem.

Die apostrophiert Penthesilea so:

> Wie manche, die am Hals des Freundes hängt,
> Sagt wohl das Wort: sie lieb ihn, o so sehr,
> Daß sie vor Liebe gleich ihn essen könnte;
> Und hinterher, das Wort beprüft, die Närrin!
> Gesättigt sein zum Ekel ist sie schon. (24. Auftritt; I, 426)

Die Metaphorik der Sprache, die ihr Wesen ausmacht, ist, gelöst von der Verantwortung des Sprechenden, so nichtig geworden, daß jede Lebenssituation, die auch nur vom Schimmer eines mit Bewußtsein identischen Sprechens getroffen wird, sich in dem Ekel auflöst, der im Gleichnis Penthesileas Liebe als übliche erotische Beziehung trifft. Doch gleichzeitig ist an dieser Stelle die radikalste Opposition zum gängigen Sprechen selbst infrage gestellt:

> Nun, du Geliebter, so verfuhr ich nicht.
> Sieh her: als i c h an deinem Halse hing,
> Hab ichs wahrhaftig Wort für Wort getan;
> Ich war nicht so verrückt, als es wohl schien. (24. Auftritt; I, 426)

„Wahrhaftig Wort für Wort" und wörtlich. Damit hat Sprache zwar ihre bloß noch rhetorische Metaphorik zugunsten wahrhaftigen als wörtlichen Sprechens abgeschüttelt. Aber die Wörtlichkeit ist identisch mit der Tätlichkeit, mit dem Mord. Zwischen Gewalt, die aus der Konvention hervorbricht, und Gewalt, die die Identität von Wort und Tat ist, läge erst Sprache als das, was immer s c h o n und was allein n o c h auf etwas jenseits von totaler Gewalt deutet. Deren Metaphorik ist im Einzelnen und im Ganzen der Kleistschen Dichtung anzutreffen. Nicht im Einzelnen und Ganzen als Meinung, aber auch nicht in ihm als bloßer Sprachkunst.

Die Oberpriesterin fragt Penthesilea am Ende:

> So folgst du uns?
>
> Penthesilea: Euch nicht ! — —
> Geht ihr nach Themiscyra, und seid glücklich,
> Wenn ihr es könnt —
> Vor allem meine Prothoe —
> Ihr alle —
> Und — — — im Vertraun ein Wort, das niemand höre,
> Der Tanaïs Asche, streut sie in die Luft! (24. Auftritt; I, 426)

Als Meinung ist dies redundant oder elliptisch, aber daß es Verse sind, die nicht mehr sich schließen, ist an dieser Stelle so bedeutungsvoll wie das Wort, das niemand hören soll und doch wir alle hören. Dort geht es nicht mehr um Meinung, hier nicht mehr um eine Mitteilung, die so geheim ist, daß sie keiner außer Prothoe erfahren soll. Vielmehr stellt sich in einem Zusammenhang, der der Übersetzung immer aufs neue bedarf, „neue Sprache" her, aber, insofern es ja „nur" ästhetischer Schein bleibt, als dargestellte. Darin aber zeigt sich — und anders als so abstrakt läßt sich diskursiv davon nicht, zumal nicht in Kürze reden —, daß sie angesichts der Gewaltwelt so abgebrochen, unvollendet ist wie jene Verse, aber auch so auf ihre Vollendung bezogen wie sie, daß sie so intim, bloß innerlich ist wie jenes Wort, aber auch so wie es aufs Gehör aller zielend.

Es ist Sprache, die nicht beherrscht wird und die selbst nicht überredet; Sprache, in der die Gewalt, insofern sie ihr unnötig geworden ist, sich als verschwindende zu zeigen vermag. Es ist nicht einfach „Sprache der Kunst". Die vielmehr kann wie in Kleists Legende von der „Heiligen Cäcilie" selbst als „Gewalt der Musik" erscheinen. Es ist das einzelne Sprechen, das wir — wie die Arbeiten Kleists — als aufhebens-, als erinnerns-, als lesenswert und damit als allgemein wenn nicht begreifen, so immerhin ahnen. In dieser Legende tritt die Musik als Modell der von den Subjekten unbegriffenen Sprache der Kunst selbst gewalttätig hervor und überwältigt zunächst die vier Brüder, die in der Kirche die Überlieferung des Ritus hatten stören, ja zerstören wollen. Aber nicht, daß diese Überwältigung durch Kunst sich ereigne, ist die Intention dieser Legende. Denn sie stellt nicht allein diese Überwältigung dar, und zwar darin, daß die jungen Männer das, was sie überwältigt hat, die Musik, auf schreckliche Weise nachahmen müssen: „So mögen sich Leoparden und Wölfe anhören lassen, wenn sie zur eisigen Winterzeit, das Firmament anbrüllen..." (II, 223) Sie endigt vielmehr mit dem Satz: „... die Söhne aber starben, im späten Alter, eines heitern und vergnügten Todes, nachdem sie noch einmal, ihrer Gewohnheit gemäß, das gloria in excelsis abgesungen hatten." (II, 228) So stellt die Musik, die nichts anderes als der Inbegriff von Sprache als Vermittlung von Menschlichem und Göttlichem ist, einmal die Gewalt dar, die sie auf die Brüder als diejenigen ausübt, die für alle anderen als Verwirrte zu betrachten, ja zu hören sind. Aber sie stellt auch die Aufhebung ihrer selbst als Gewalt dar, wie sie sich für das Bewußtsein der Brüder offenbar darin vollzieht, daß diese sie ganz in sich aufgenommen haben.

Aber erst, daß die Legende beides d a r s t e l l t , daß sie es also s p r i c h t , macht die Gewalt, und zwar noch die, die ihre eigene Affirmation als Kunstwerk zu sein scheint, potentiell auch für den Leser, schwinden. Legende ist dies nicht mehr, weil sie das Heilige als das Allgemeine ausspricht, und darum nicht ein zu Lesendes als etwas, das gelesen werden m u ß . Legende ist es als zu Lesendes in dem Sinne, daß ihr Leser, heute von Gewalt wie von Information überwältigt, anfangen k a n n , in und mit ihr lesen und damit sprechen zu lernen.

Es ist Kleists Verdienst, durch seine „Legenden" für das konkrete menschliche Leben, das nur eines sein kann, das seine Sprache gefunden hat, Voraussetzungen geschaffen zu haben. Daß ihm „auf Erden nicht zu helfen war" (Abschiedsbrief an Ulrike von Kleist vom 21. November 1811; II, 887), hat er der Einsicht in die Notwendigkeit und Unbegriffenheit dieser Voraussetzung zuzuschreiben. Denn die Welt, in der ihm nicht zu helfen war, ist die Welt sprachloser, menschenfeindlicher Gewalt, ob in ihr dahergeredet wird oder geschossen.

Vortrag, gehalten auf Einladung der Stadt Saarbrücken im Rathaus S. am 10. November 1977, auf Einladung der Droste-Gesellschaft im Rathaus Münster am 28. November 1977 und auf Einladung der Heinrich-von-Kleist-Gesellschaft im Schloß Charlottenburg, Berlin, am 5. Dezember 1977.

Text und Kontext

Quellen und Aufsätze zur Rezeptionsgeschichte der Werke Heinrich von Kleists

Herausgegeben von Klaus K a n z o g

Jahresgabe der Heinrich-von-Kleist-Gesellschaft 1975/76

334 Seiten, 16 Tabellenseiten, Gr.-8°, Ganzleinen mit Schutzumschlag, DM 84,—

Die Rezeptionsgeschichte der Werke Kleists geriet erst spät ins Blickfeld der Forschung und fand bisher nur vereinzelte Darstellung. Gegenstand der Rezeptionsgeschichte ist nicht allein das Phänomen des „Nachruhms" dieses Dichters, sondern vor allem auch die Fülle der vielfach kontroversen Urteile. Der Titel *Text und Kontext* soll die engen Beziehungen zwischen dem Werk und seinem jeweiligen Verständnis programmatisch zum Ausdruck bringen.

Neben exemplarischen Quellen, Kleist-Rezensionen aus dem 19. Jahrhundert, umfaßt der Band gewichtige Aufsätze zur Rezeptionsgeschichte, die Einblick in die geschichtlichen Zusammenhänge geben und grundsätzliche Rezeptionsprobleme klären. Der Verbreitung und Beurteilung der Werke Kleists im 19. Jahrhundert wird dabei ebenso intensiv nachgegangen wie den unterschiedlichen Rezeptionsaspekten in unserer Zeit. Ergänzend sind bibliographische Übersichten und umfassende Register beigegeben.

Werke Kleists auf dem modernen Musiktheater

Herausgegeben von Klaus K a n z o g und Hans Joachim K r e u t z e r

Jahresgabe der Heinrich-von-Kleist-Gesellschaft 1973/74

210 Seiten, Notenbeispiele, Gr.-8°, Ganzleinen mit Schutzumschlag, DM 59,—

Dramen und Erzählungen Kleists haben häufig als Vorlagen für Werke des modernen Musiktheaters gedient, was jedoch bisher weder in der Literatur- noch in der Musikwissenschaft besondere Beachtung gefunden hat. Mit dem hier vorgelegten Band wird dieses bedeutsame Kapitel der Nachwirkung Kleists in seinen Zusammenhängen sichtbar gemacht. Damit werden für die Kleist-Forschung neue Wege erschlossen und wird zugleich das Opernlibretto als ein wichtiges interdisziplinäres Forschungsgebiet in das Blickfeld gerückt.

In den Beiträgen dieses Bandes kommen neben Literatur- und Musikwissenschaftlern auch die Komponisten selbst zu Wort. Ganz besondere Bedeutung hat die alle Epochen umfassende Bibliographie „Heinrich von Kleist und die Musik" als wegweisende Arbeitsunterlage, in der Schwerpunkte und Tendenzen der Rezeption klar hervortreten.

 ERICH SCHMIDT VERLAG